10歳までに知っておきたい

子どもを一生守る「からだ・こころ・権利」の話

自分とまわりの人を大切にできる力を育てます

やまがたてるえ
渡邉安衣子

青春出版社

はじめに

2人《ふたり》の助産師《じょさんし》からのごあいさつ

この本《ほん》を手《て》に取《と》ってくれて、ありがとうございます。

私《わたし》たちは助産師《じょさんし》という仕事《しごと》をしています。みんなは助産師《じょさんし》って知《し》っているかな？　「産《う》む」のを「助《たす》ける」と書《か》く通《とお》り、赤《あか》ちゃんが生《う》まれるのをお手伝《てつだ》いする専門家《せんもんか》です。他《ほか》にも、子《こ》どもたちや大人《おとな》にもわかりやすく体《からだ》と心《こころ》の健康《けんこう》を教《おし》えています。学校《がっこう》に行《い》って、大人《おとな》になっていく体《からだ》と心《こころ》の変《へん》化《か》(思春期《ししゅんき》)のことを教《おし》えたり、本《ほん》を書《か》いて伝《つた》えたりもしています。

日本《にほん》の助産師《じょさんし》は看護師《かんごし》の資格《しかく》も持《も》っています。「看護《かんご》」は「病気《びょうき》の人《ひと》をケアしたり、健康《けんこう》のサポートをする」という意味《いみ》です。

助産師《じょさんし》の仕事《しごと》

赤《あか》ちゃんの誕生《たんじょう》、妊婦《にんぷ》さんの健《けん》康《こう》、安心《あんしん》で安全《あんぜん》な出産《しゅっさん》や子育《こそだ》て、そして成長《せいちょう》する子《こ》どもの心《こころ》と体《からだ》もサポートする専門家《せんもんか》。

助産師《じょさんし》も看護師《かんごし》も、人《ひと》が健康《けんこう》に生《い》きるためのお手伝《てつだ》いをする仕事《しごと》です。

私《わたし》たちは、みんなが、より健康《けんこう》で自分《じぶん》らしく成《せい》長《ちょう》していけるように、またみんなの〝安心《あんしん》〟で〝安《あん》全《ぜん》〟な暮《く》らしをサポートするために、この本《ほん》を書《か》きました。

本書《ほんしょ》には、役立《やくだ》つ話《はなし》やワークがたくさんつまっています。1人《ひとり》でもいいけれど、もしよかったらまわりの大人《おとな》や友《とも》だちと一緒《いっしょ》に読《よ》んだり、いろんなワークのテーマを考《かんが》えてみてください。なんとなくやりたくないときは、無理《むり》してやらなくても大丈夫《だいじょうぶ》。

私《わたし》たちと一緒《いっしょ》に、体《からだ》や心《こころ》のことについて学《まな》んでいきましょう。

やまがたてるえ（てるえさん）
渡邉《わたなべ》安衣子《あいこ》（あいこさん）

看護師《かんごし》の仕事《しごと》

病気《びょうき》やケガをしている人《ひと》はもちろんのこと、すべての人《ひと》が健康《けんこう》で幸《しあわ》せに暮《く》らせるようにサポートする専門家《せんもんか》。

この本《ほん》は どこから読《よ》みはじめてもいいよ！

「体《からだ》の話《はなし》」「心《こころ》の話《はなし》」「権利《けんり》の話《はなし》」と、
３つの章《しょう》があります。

大人《おとな》の方《かた》は最初《さいしょ》に
140〜141ページを
お読《よ》みください。

何《なに》を思《おも》っても、何《なに》を考《かんが》えてもOK《オーケー》。

心《こころ》の中《なか》で感《かん》じることは自由《じゆう》だよ。

みんなと違《ちが》っても大丈夫《だいじょうぶ》。

いろんな意見《いけん》があるよね。

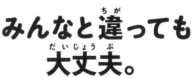

この本《ほん》を読《よ》み終《お》えたら・・・

「自分《じぶん》の体《からだ》のこと」を、
もっと知《し》ることができるかも！

自分《じぶん》のことを、
自分《じぶん》で決《き》められるように
なるかも！

自分《じぶん》の体《からだ》を
守《まも》ることができるかも！

この本《ほん》の登場《とうじょう》人物《じんぶつ》

Q. みんなの好《す》きなこと・ものは？

てるえさん（助産師《じょさんし》）
性教育《せいきょういく》の講師歴《こうしれき》14年《ねん》

- コーヒーを飲《の》むこと、いれること
- 本《ほん》やマンガを読《よ》むこと
- おうちでのんびり映画《えいが》を見《み》ること

お母《かあ》さん

- ゴルフや野球観戦《やきゅうかんせん》
- ショッピングモールでのお買《か》い物《もの》
- 子《こ》どもたちと一緒《いっしょ》にお菓子《かし》を作《つく》ること

あいこさん（助産師《じょさんし》）
性教育《せいきょういく》の講師歴《こうしれき》25年《ねん》

- パン作《づく》り
- みんなとおしゃべりすること
- 運動《うんどう》すること

しんちゃん（10歳《さい》）

- 集《あつ》めているミニカー
- ホットケーキ
- 体育《たいいく》と音楽《おんがく》
- 学童《がくどう》クラブの友《とも》だちと鬼《おに》ごっこ

お父《とう》さん

- カフェめぐり
- プラモデル作《づく》り
- お寿司《すし》
- 家族《かぞく》が大好《だいす》き

ニャンちゃん

- ひなたぼっこ
- ソファの上《うえ》
- キャットフード

ワンちゃん

- おさんぽ
- なでてもらうこと
- 水《みず》

あんちゃん（10歳《さい》）

- ふわふわのタオルと夕焼《ゆうや》け空《ぞら》
- ラーメン
- 算数《さんすう》と理科《りか》
- ダンスを踊《おど》ること

もくじ

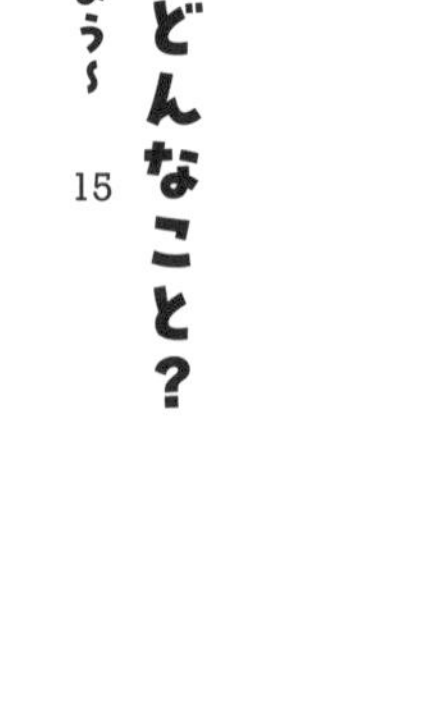

思春期《ししゅんき》あるある！ Q&A 64

第2章

自分《じぶん》の気《き》持《も》ちも相手《あいて》の気《き》持《も》ちも大切《たいせつ》にする 心《こころ》の話《はなし》

カバー&本文イラスト&本文デザイン　ササキサキコ
企画・編集協力　渡辺のぞみ

そろそろ、性教育《せいきょういく》ですよ！

プロローグ
「安心《あんしん》」と「安全《あんぜん》」って、どんなこと？

～体《からだ》も心《こころ》も、自分《じぶん》を大切《たいせつ》にすることからはじめよう～

「安心《あんしん》する」って
どういうことかな。
言葉《ことば》にするのは
むずかしいかも。
一緒《いっしょ》に
考《かんが》えてみる？

「心《こころ》」と「体《からだ》」はつながっています

安心《あんしん》で安全《あんぜん》なときは、「うれしい」「楽《たの》しい」「ほっとする」と感《かん》じます。

そうすると、人《ひと》はみんな、

♪**笑顔《えがお》になる**

♪**ぴょんぴょん飛《と》びはねちゃう**

♪**たくさん話《はな》したくなる**

♪**自分《じぶん》に自信《じしん》がつく**

こんな気持《きも》ちや態度《たいど》、表情《ひょうじょう》になったり、行動《こうどう》をしたりするかもしれません。

安心《あんしん》できず、また、安全《あんぜん》ではないときは、「悲《かな》しい」「こわい」「いやだな」と感《かん》じます。そうすると、

✸**イライラする**

✸**学校《がっこう》に行《い》きたくなくなる**

✸**おなかが痛《いた》くなる**

✸**自分《じぶん》に自信《じしん》がなくなる**

こんなふうになるかもしれません。

ワーク
1

今《いま》の「体《からだ》の天気《てんき》」と
「心《こころ》の天気《てんき》」は、どんな感《かん》じ?

「今日《きょう》はどんな感《かん》じ?」「どんな調子《ちょうし》?」と聞《き》かれたら、なんと答《こた》えますか?
「いい感《かん》じ」「大丈夫《だいじょうぶ》」「うーん」など、いろんな答《こた》え方《かた》がありますね。
それを「お天気《てんき》」にして相手《あいて》に伝《つた》えてみましょう。
このワークをしてみると、今《いま》の自分《じぶん》の体《からだ》や心《こころ》のことを、
もっと感《かん》じられるようになります。正解《せいかい》も不正解《ふせいかい》もないし、
みんなと同《おな》じじゃなくても大丈夫《だいじょうぶ》。
「晴《は》れ」「くもり」「雨《あめ》」「風《かぜ》が強《つよ》い」など、自由《じゆう》に考《かんが》えてみましょう。

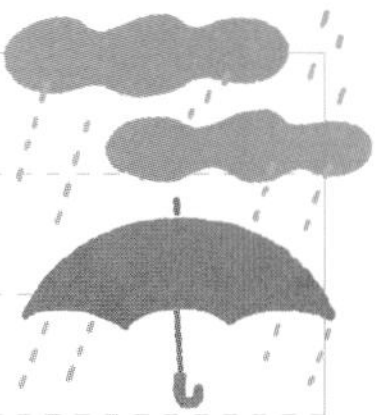

体の天気

心の天気

同《おな》じお天気《てんき》の人《ひと》もいれば、違《ちが》うお天気《てんき》の人《ひと》もいます。
お天気《てんき》のように体《からだ》も心《こころ》も、いつも同《おな》じじゃないんだね。
体《からだ》の調子《ちょうし》が悪《わる》いときは、心《こころ》の調子《ちょうし》も悪《わる》くなりやすいのかもしれないね。

「安心《あんしん》」って、どういうことだろう？

「安心《あんしん》」というのは、

「落《お》ちつくな」

「ほっとするな」

「心配事《しんぱいごと》がない」

「なんだかちょっといい気持《きも》ち」

こんなふうに、心《こころ》がおだやかでいることです。

子《こ》どもも大人《おとな》も、赤《あか》ちゃんだって、みんな
安心《あんしん》な気持《きも》ちでいたいと思《おも》うものです。

あんちゃんはママにギューッと抱《だ》きつくと
安心《あんしん》、ママはお茶《ちゃ》を飲《の》むと安心《あんしん》するみたい。

パパは音楽《おんがく》を聴《き》くと安心《あんしん》みたいだね。

ママにギューッと抱《だ》きつくと安心《あんしん》。
あったかいお茶《ちゃ》を飲《の》むと落《お》ちつくなぁ。
音楽《おんがく》を聴《き》いてると気分《きぶん》いいよ。

ワーク
2

安心《あんしん》だと感《かん》じるのは、どんなとき？

おうちにいるとほっとする。

安心《あんしん》する人《ひと》、もの、場所《ばしょ》は？ 安心《あんしん》から何《なに》をイメージする？
自由《じゆう》に考《かんが》えてみましょう。
まわりの人《ひと》にも聞《き》いてみましょう。

自分

まわりの人

「安全《あんぜん》」って、どういうことだろう？

「安心《あんしん》」についてのワークをやってみたけれど、今度《こんど》は「安全《あんぜん》」についても考《かんが》えてみよう。

安全《あんぜん》と安心《あんしん》は似《に》ている言葉《ことば》ですが、ちょっと意味《いみ》が違《ちが》います。

「安全《あんぜん》」は、危険《きけん》なことやこわいこと（事件《じけん》、事故《じこ》、暴力《ぼうりょく》〈※〉など）がないことです。

また、

「こわいな」

「いやだな」

「心配《しんぱい》だな」

「悲《かな》しいな」

「ドキドキするな」

など、居心地《いごこち》が悪《わる》かったり不安《ふあん》になったときでも、「誰《だれ》かに守《まも》ってもらえるんだ」という気持《きも》ちでいられたら、それはあなたが「安全《あんぜん》」であるということです。

※暴力《ぼうりょく》：人《ひと》の心《こころ》と体《からだ》を傷《きず》つけること（73ページ）。

ワーク
3

安全《あんぜん》ではないと感《かん》じるのは、どんなとき？

安全《あんぜん》ではないと思《おも》うのは、どんなとき？
どうしたら安全《あんぜん》になると思《おも》う？
考《かんが》えてみましょう。まわりの人《ひと》にも聞《き》いてみましょう。

自分

まわりの人

お守り本棚

『気持ちの本』

（森田ゆり・作、たくさんの子どもたち・絵、童話館出版）

楽《たの》しい、悲《かな》しい、うらやましい、こわい。目《め》には見《み》えないいろんな気持《きも》ちについて考《かんが》えるきっかけになります。誰《だれ》かに伝《つた》えることで、うれしい気持《きも》ちは2倍《ばい》に、こわい気持《きも》ちは半《はん》分《ぶん》に減《へ》る！　この本《ほん》をヒントに、自分《じぶん》の気持《きも》ちと上手《じょうず》につきあっていけたらいいね。

『こわくなったら　やってみて！』

（オーレリー・シアン・ショウ・シーヌ・文・絵、垣内磯子・訳、主婦の友社）

こわい気持《きも》ちになったときにはどうしたらいいか。ユニコーンのガストンが呼吸《こきゅう》をあわせて心《こころ》を落《お》ちつかせる方法《ほうほう》を教《おし》えてくれます。いろんな気持《きも》ちをテーマにしたシリーズの1冊《さつ》です。

『カラーモンスター　きもちの　きゅうきゅうばこ』

（アナ・レナス・作、おおともたけし・訳、永岡書店）

気分《きぶん》がモヤモヤしたときにはどうしたらいいの？　気持《きも》ちの整理《せいり》の専門家《せんもんか》「カラーモンスター」が、自分《じぶん》を助《たす》けてくれる心《こころ》の救急箱《きゅうきゅうばこ》についてやさしく教《おし》えてくれる本《ほん》です。

第《だい》1章《しょう》

どんな変化《へんか》が起《お》こるの？

体《からだ》の話《はなし》

体《からだ》って、手《て》や足《あし》のことでしょ？

おなかの中《なか》も、体《からだ》だよね？　食《た》べ物《もの》を消化《しょうか》したり、うんちを作《つく》ったり。

わかるような……。

でも、何《なに》がどう動《うご》いてるのか、どんな働《はたら》きをしてるのか……。
うーん、よくわかんない。

名前《なまえ》、わかるかな？

（答《こた》えは次《つぎ》のページ）

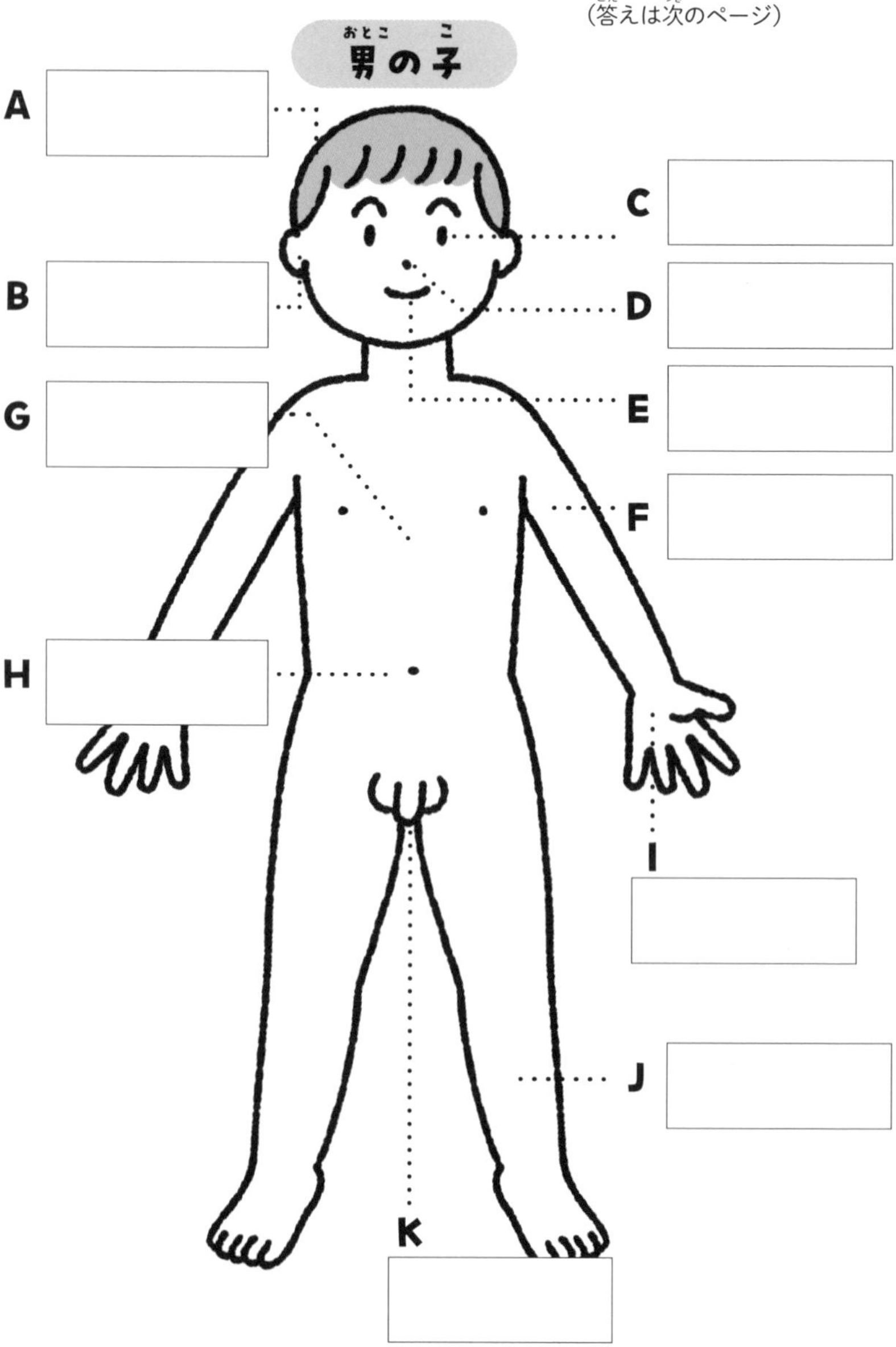

体《からだ》のいろんな部分《ぶぶん》の

女《おんな》の子《こ》

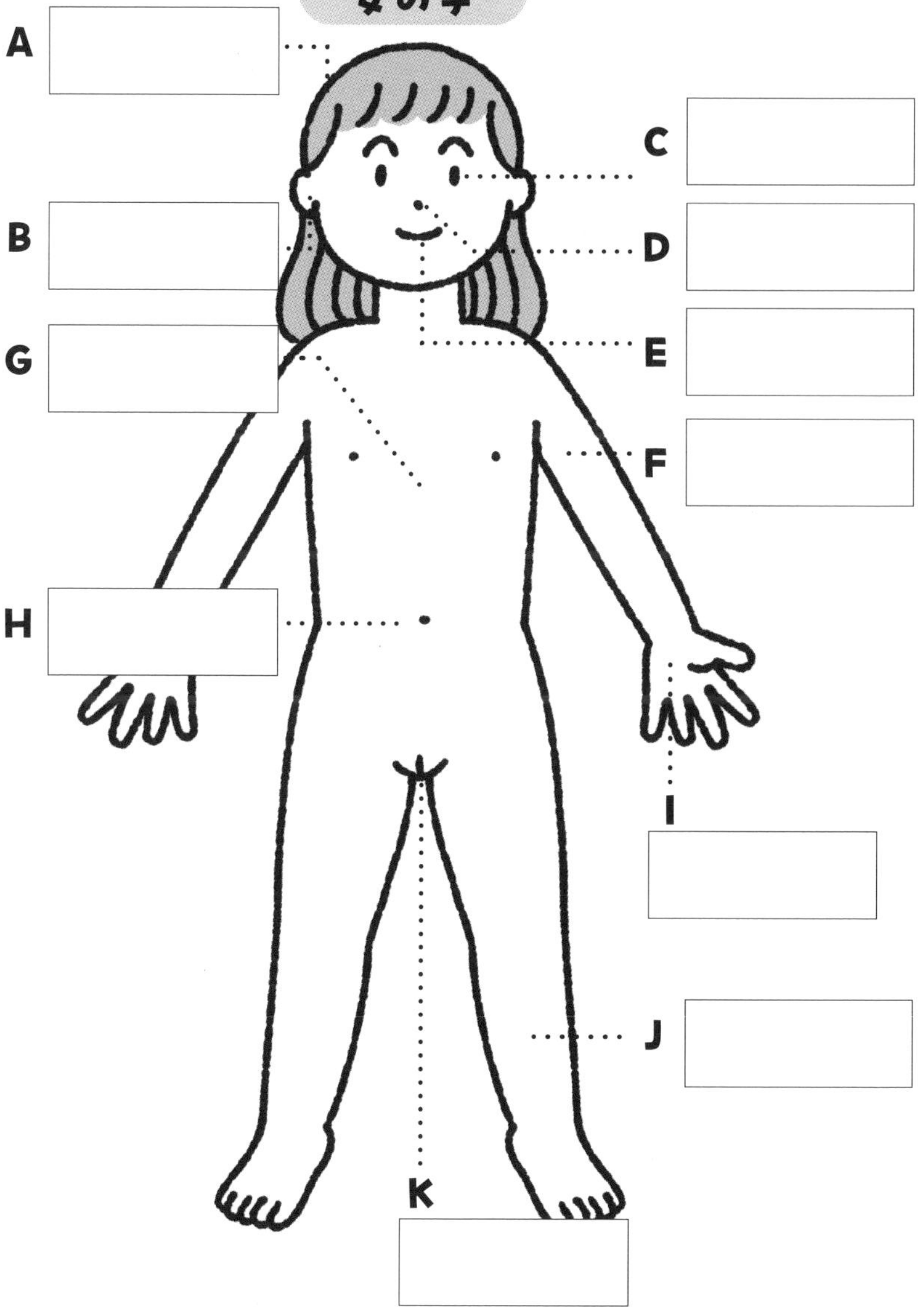

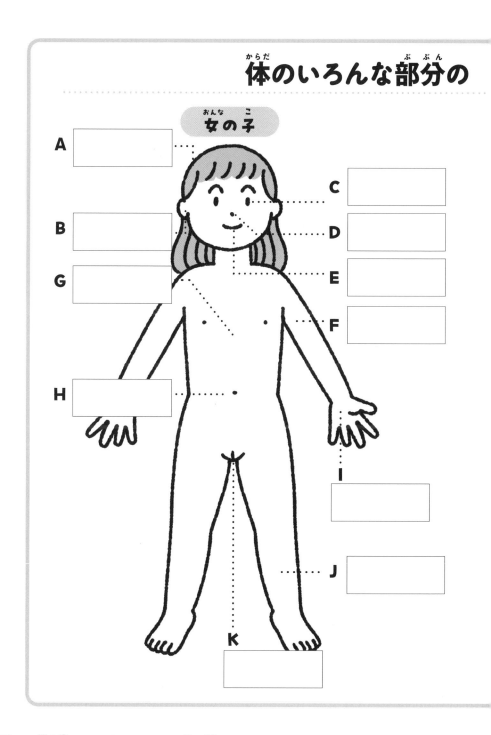

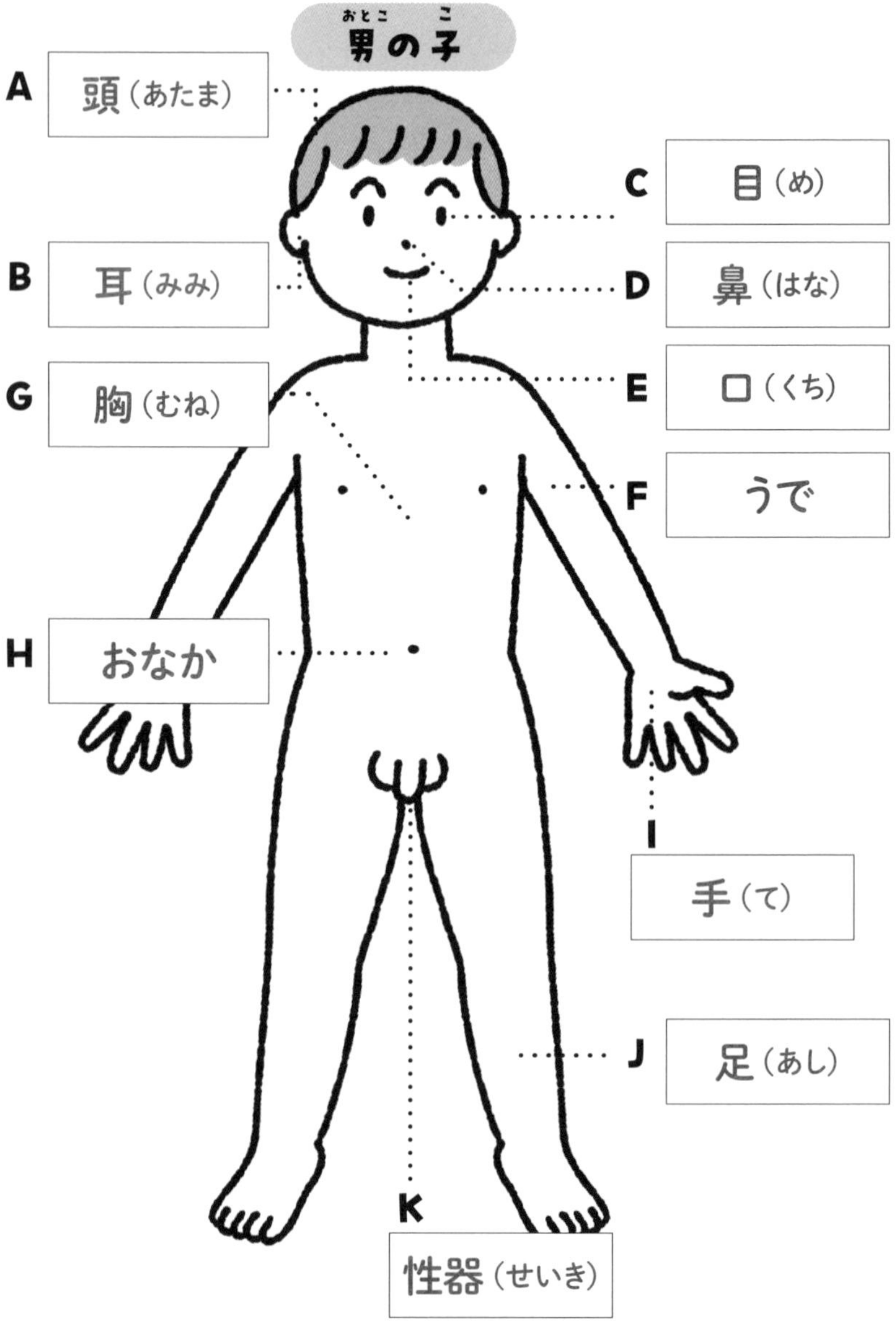
男《おとこ》の子《こ》
A 頭（あたま）
B 耳（みみ）
G 胸（むね）
H おなか
C 目（め）
D 鼻（はな）
E 口（くち）
F うで
I 手（て）
J 足（あし）
K 性器（せいき）

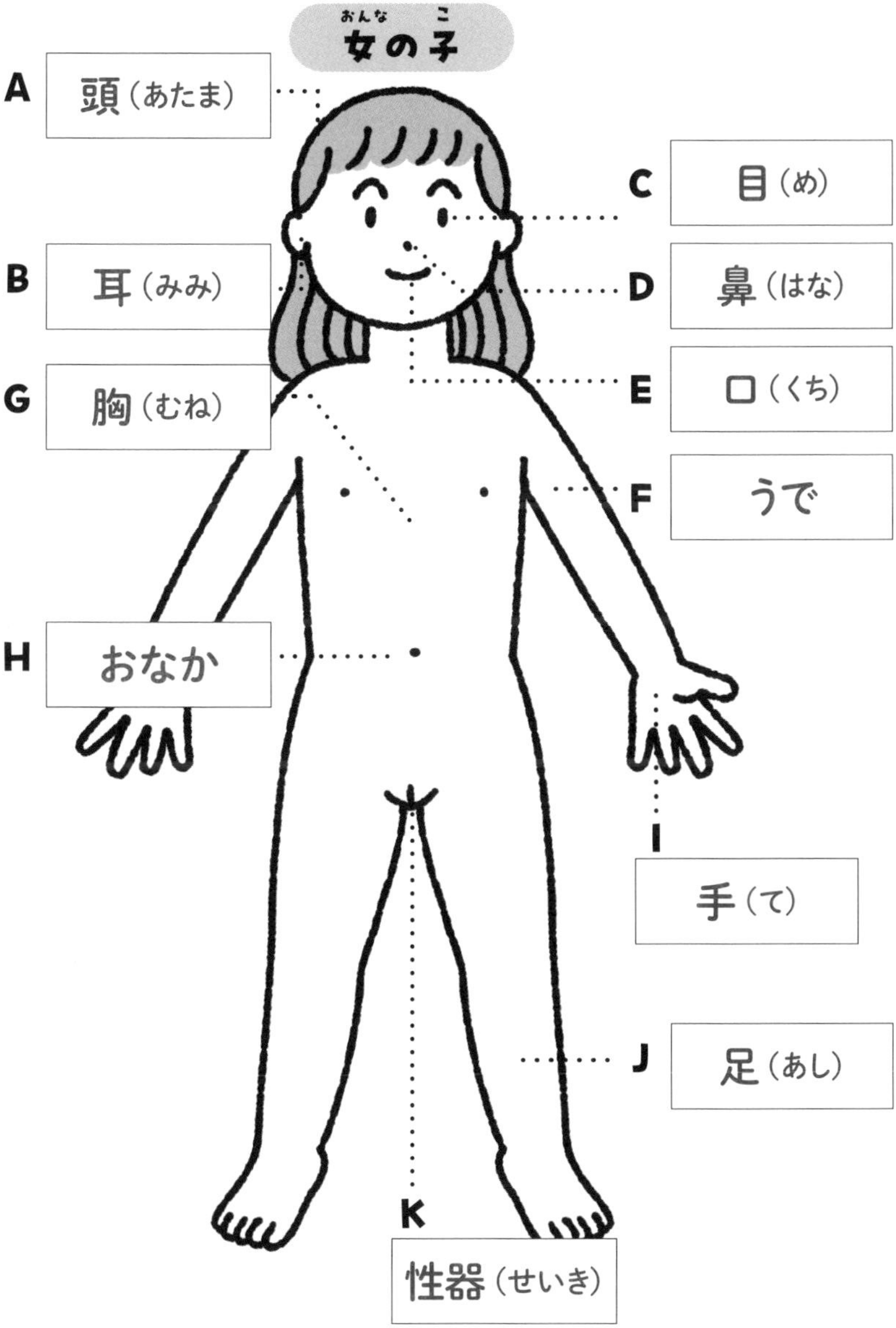
女《おんな》の子《こ》
A 頭（あたま）
B 耳（みみ）
G 胸（むね）
H おなか
C 目（め）
D 鼻（はな）
E 口（くち）
F うで
I 手（て）
J 足（あし）
K 性器（せいき）

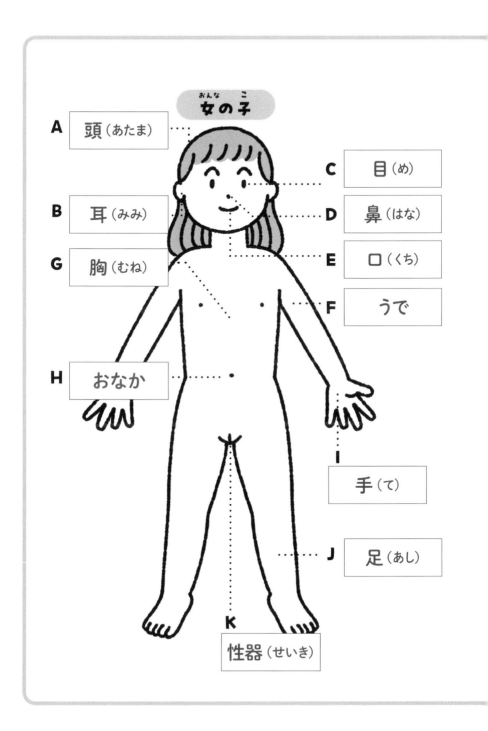

男《おとこ》の子《こ》と女《おんな》の子《こ》の体《からだ》の違《ちが》うところは？

男《おとこ》の子《こ》も女《おんな》の子《こ》も、じつはほとんど体《からだ》のつくりは同《おな》じです。

体《からだ》には性器《せいき》と呼ばれる部分《ぶぶん》があります。男《おとこ》の子《こ》と女《おんな》の子《こ》では、性器《せいき》の形《かたち》が違《ちが》います。

男《おとこ》の子《こ》の性器《せいき》には、「陰茎《いんけい》（ペニス）」と「陰《いん》のう」があります。

女《おんな》の子《こ》の性器《せいき》には、「膣《ちつ》（ワギナ）」があります。

まだお母《かあ》さんのおなかの中《なか》にいた、小《ちい》さな赤《あか》ちゃん（胎児《たいじ》：76〜77ページ）のときは、男《おとこ》の子《こ》と女《おんな》の子《こ》の性器《せいき》は同《おな》じ形《かたち》でした。でも、おなかの中《なか》で成長《せいちょう》していく途中《とちゅう》で男《おとこ》の子《こ》の形《かたち》、女《おんな》の子《こ》の形《かたち》に変化《へんか》していきます。

顔《かお》が違《ちが》うように、性器《せいき》の形《かたち》も人《ひと》それぞれみんな違《ちが》います。もし自分《じぶん》の性器《せいき》を知《し》りたくなったら、自分《じぶん》1人《ひとり》でいるときに鏡《かがみ》で見《み》てみてもいいんですよ（自分《じぶん》の性器《せいき》は自由《じゆう》に見《み》たりさわったりしてもいいという話《はなし》は、62〜63ページ）。

性器《せいき》には、思春期《ししゅんき》（心《こころ》と体《からだ》が変化《へんか》していく10歳《さい》くらいからの時期《じき》）になると、精通《せいつう》（射精《しゃせい》）や初経《しょけい》（生理《せいり》）などの変化《へんか》が起《お》きます。精通《せいつう》と初経《しょけい》については、44〜57ページで説明《せつめい》します。

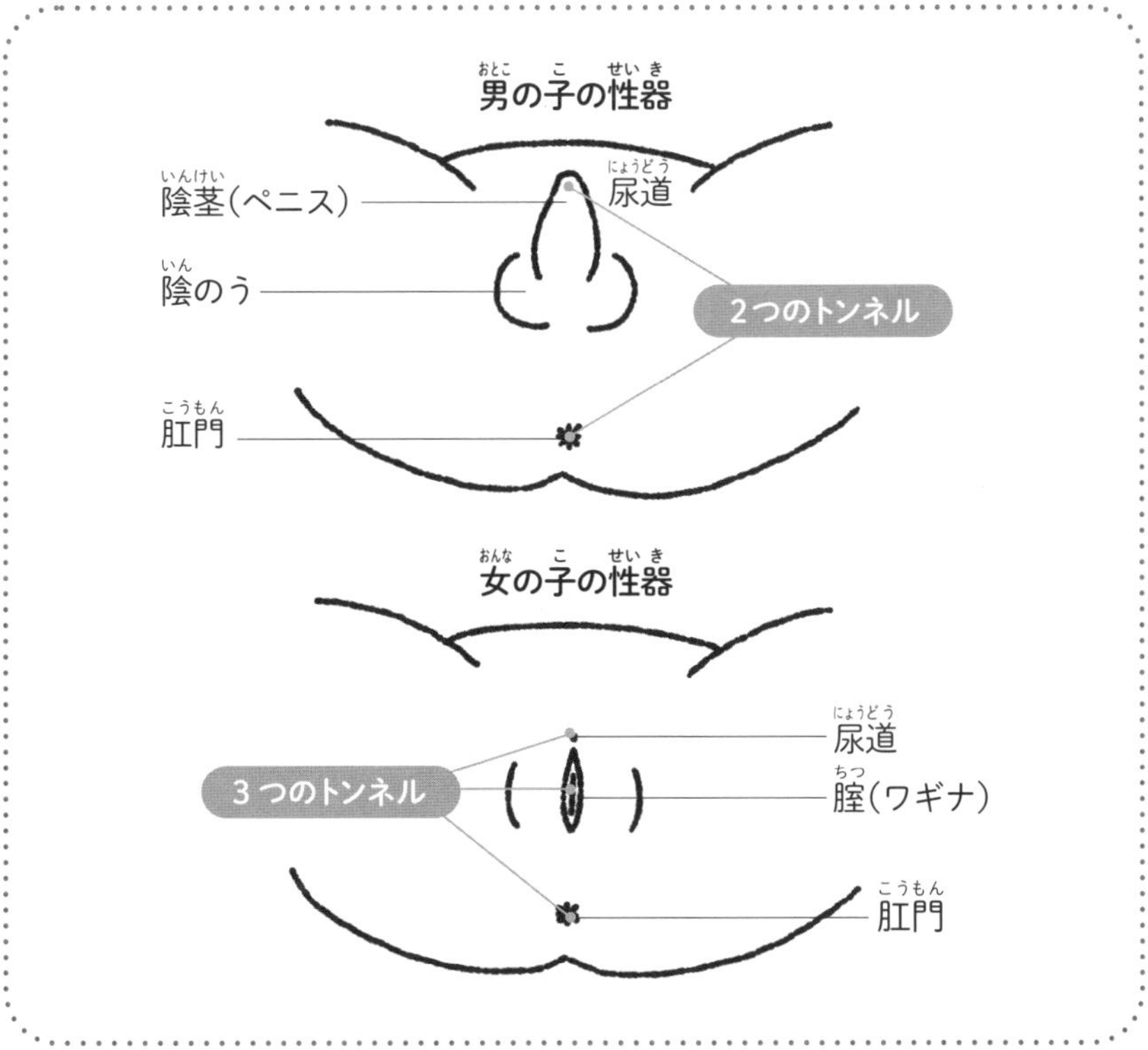

男《おとこ》の子《こ》の性器《せいき》
陰茎《いんけい》(ペニス)
尿道《にょうどう》
陰《いん》のう
2つのトンネル
肛門《こうもん》
女《おんな》の子《こ》の性器《せいき》
尿道《にょうどう》
3つのトンネル
膣《ちつ》(ワギナ)
肛門《こうもん》

体《からだ》の中《なか》のことも、わかるかな？

（答《こた》えは次《つぎ》のページ）

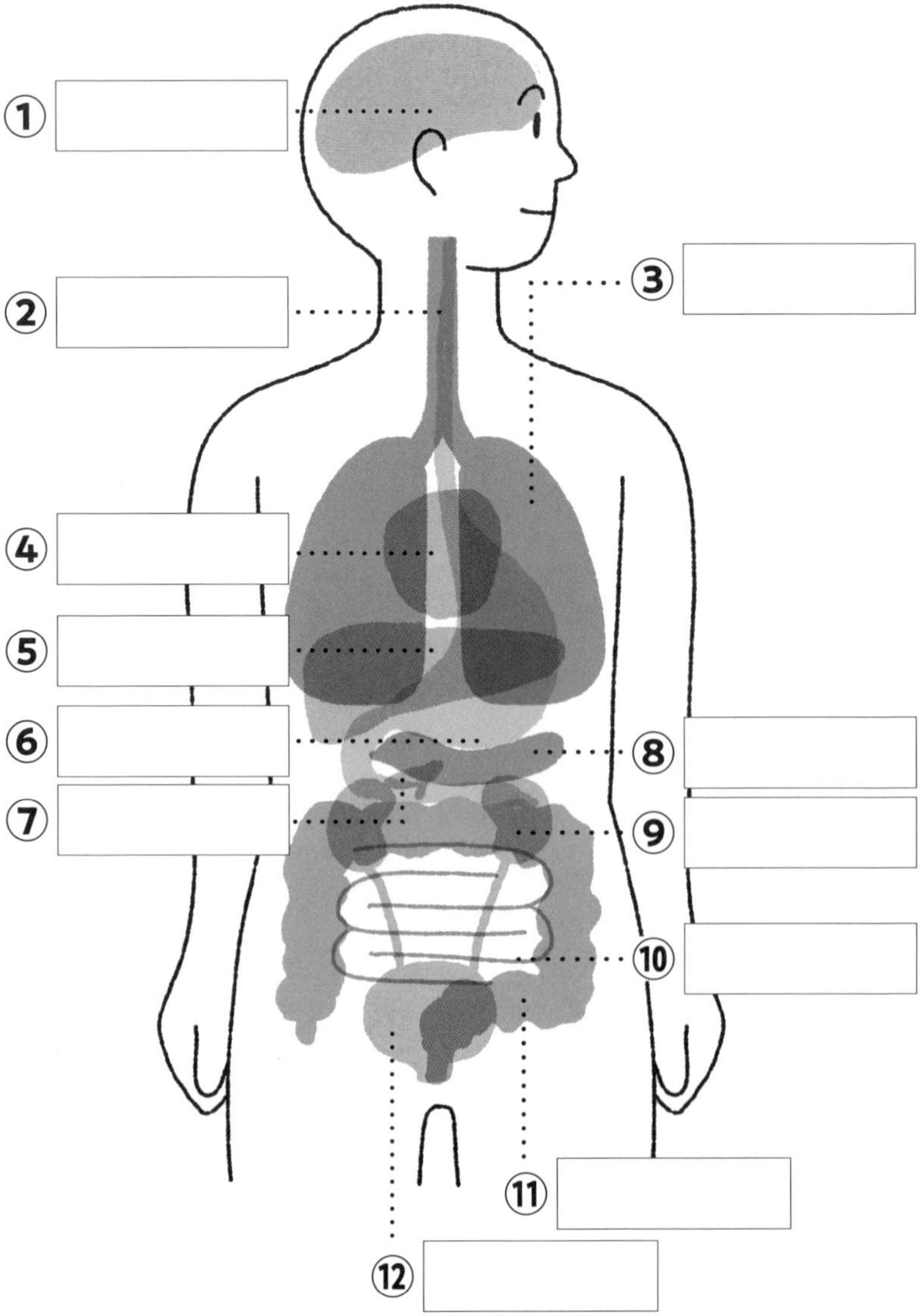

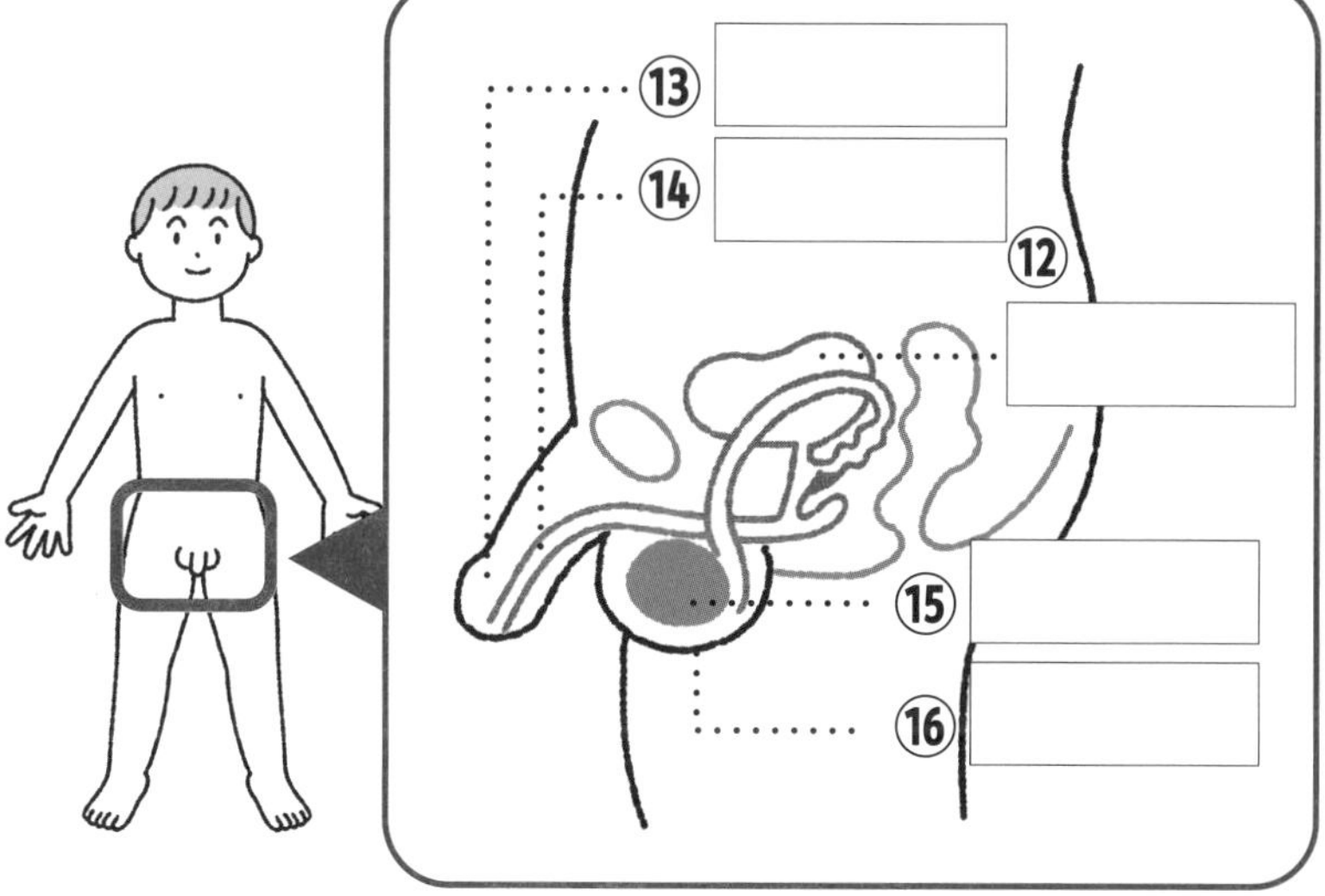
⑬
⑭
⑫
⑮
⑯

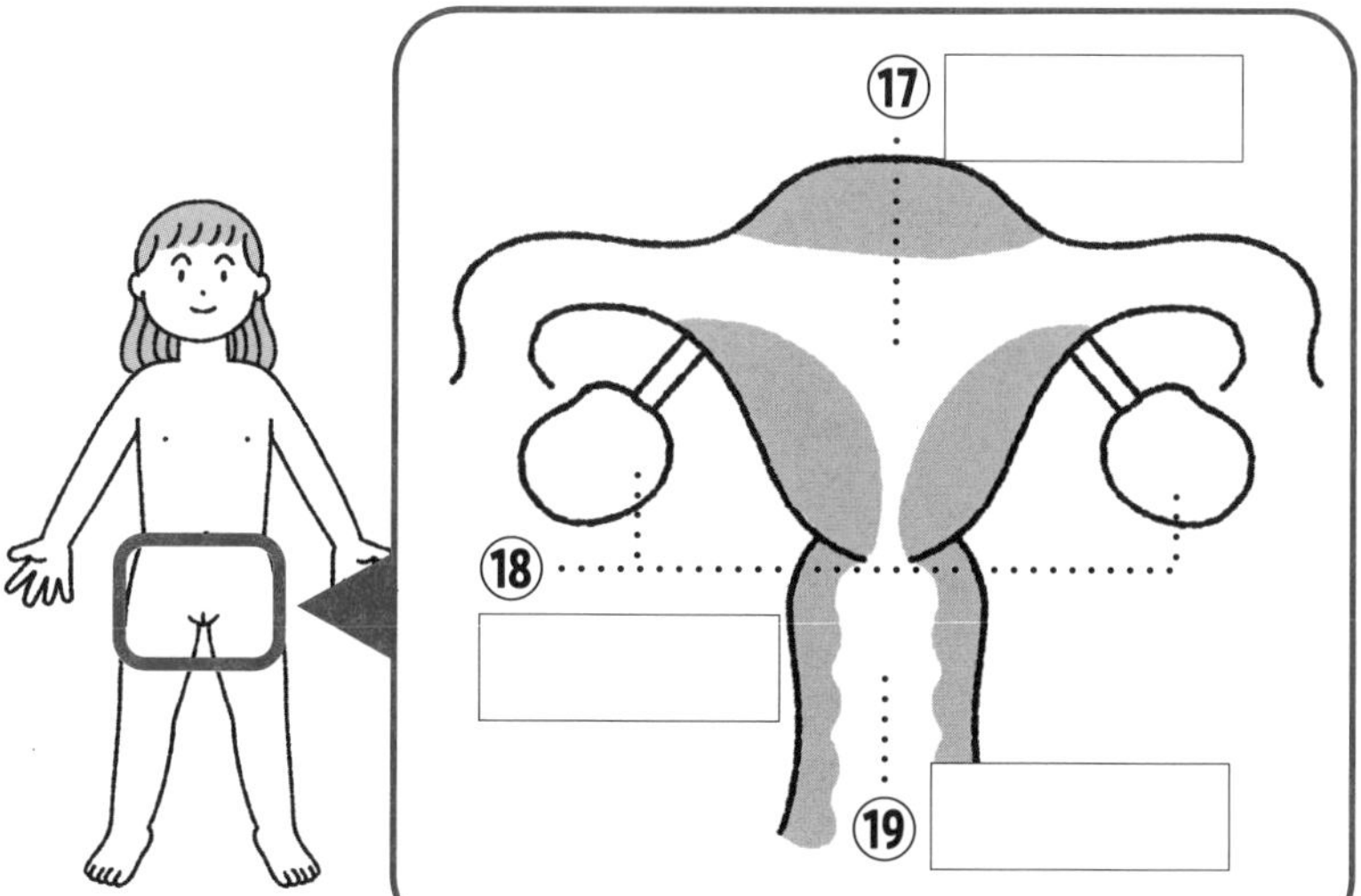
⑰
⑱
⑲

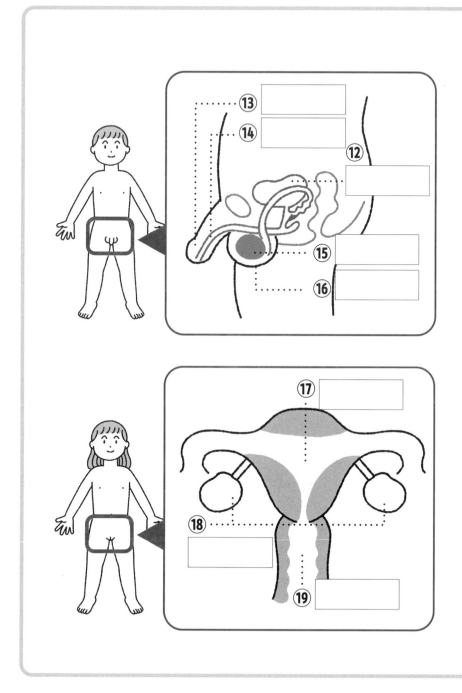

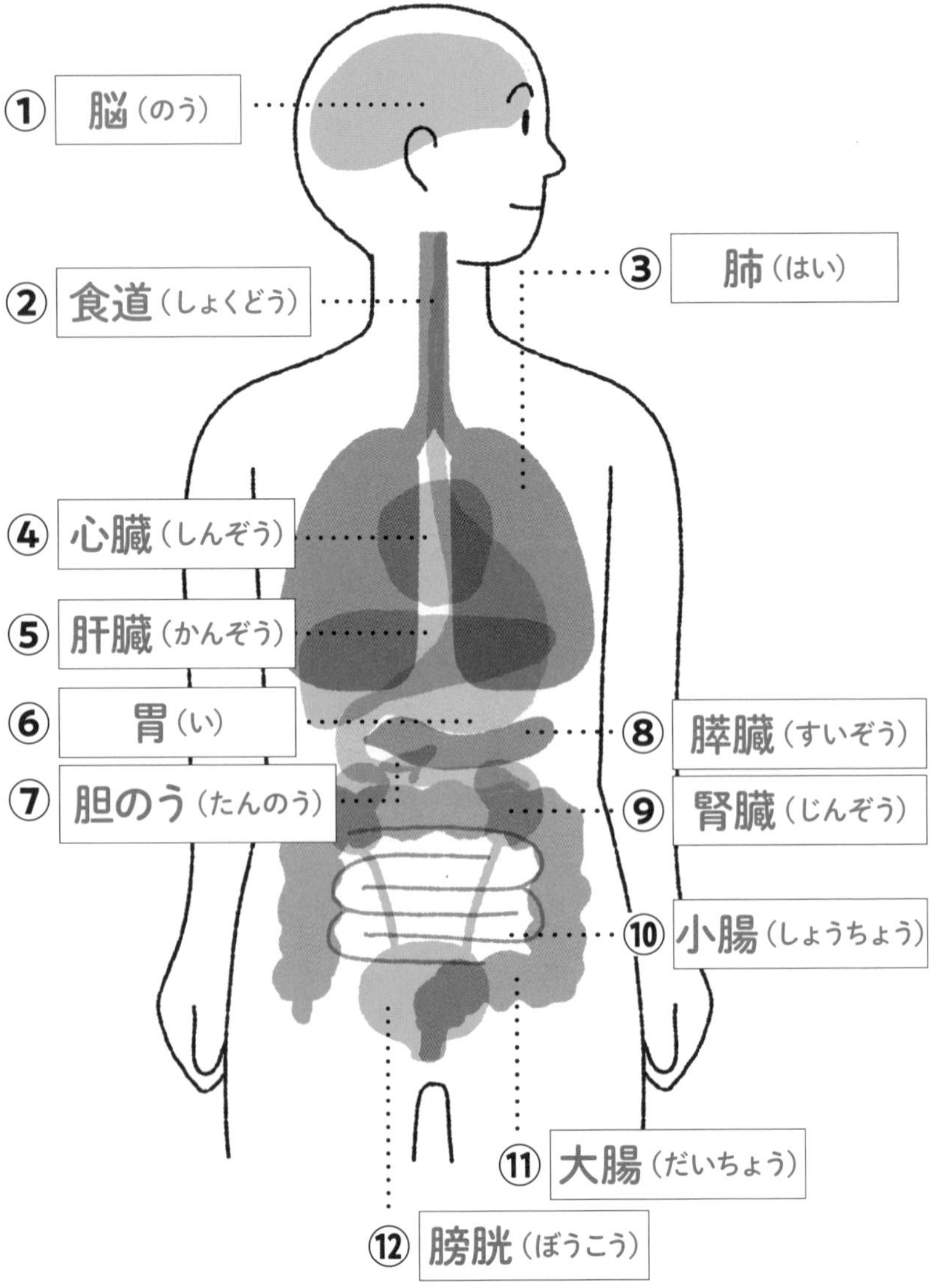
① 脳（のう）
② 食道（しょくどう）
③ 肺（はい）
④ 心臓（しんぞう）
⑤ 肝臓（かんぞう）
⑥ 胃（い）
⑦ 胆のう（たんのう）
⑧ 膵臓（すいぞう）
⑨ 腎臓（じんぞう）
⑩ 小腸（しょうちょう）
⑪ 大腸（だいちょう）
⑫ 膀胱（ぼうこう）

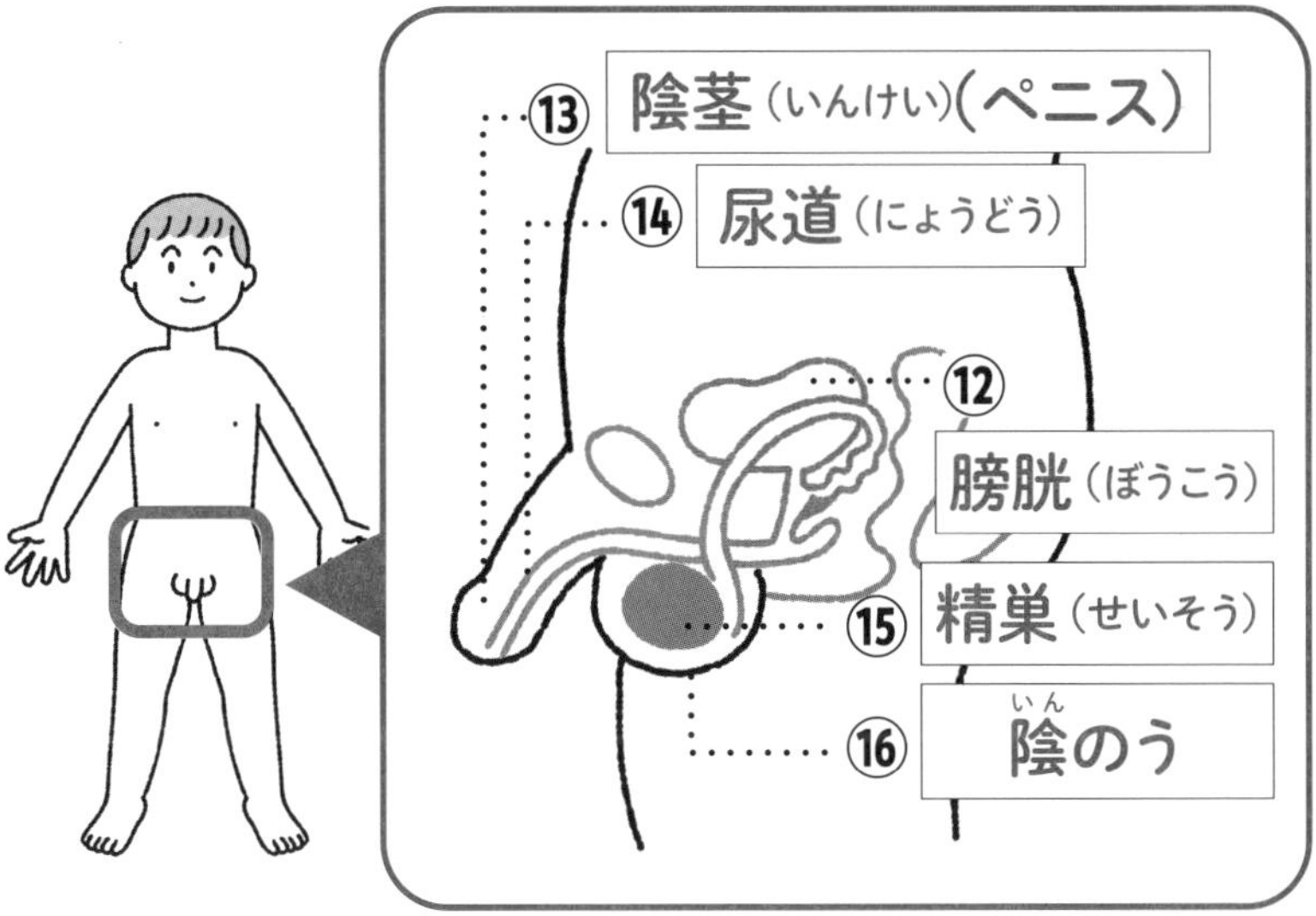
⑬ 陰茎（いんけい）（ペニス）
⑭ 尿道（にょうどう）
⑫ 膀胱（ぼうこう）
⑮ 精巣（せいそう）
⑯ 陰《いん》のう

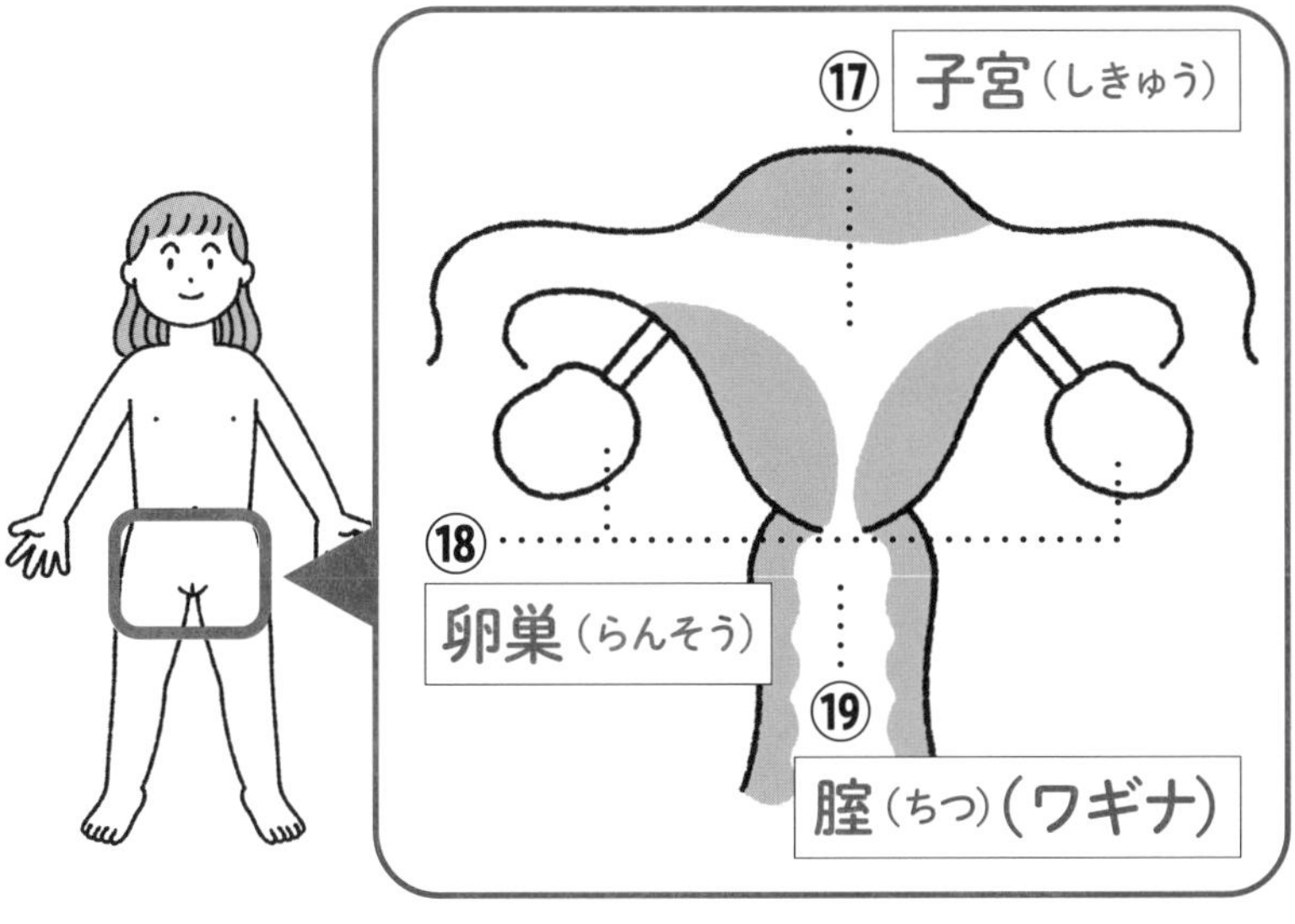
⑰ 子宮（しきゅう）
⑱ 卵巣（らんそう）
⑲ 膣（ちつ）（ワギナ）

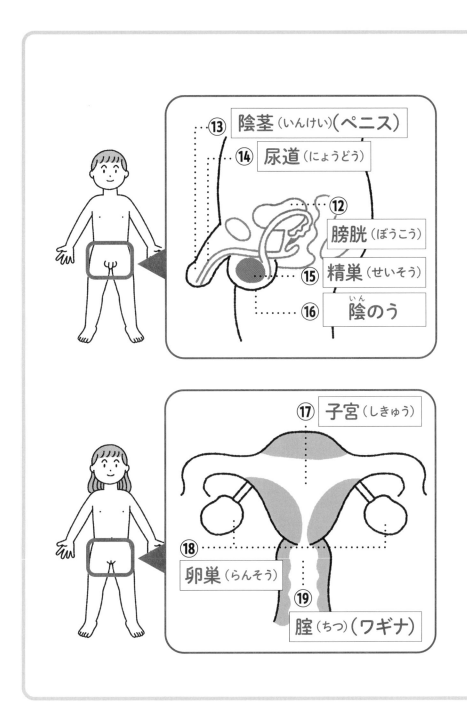

①脳《のう》

考《かんが》えたり、感《かん》じたり、運動《うんどう》したりできるのは、脳《のう》があるからです。たとえば、のどが渇《かわ》いて「水《みず》が飲《の》みたい」と思《おも》って、手《て》を動《うご》かして水《みず》を飲《の》むことができるのも、遊《あそ》んだりおしゃべりできるのも、脳《のう》が働《はたら》いているからです。

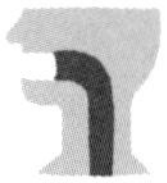

②食道《しょくどう》

食《た》べ物《もの》の通《とお》る道《みち》。

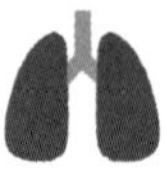

③肺《はい》

呼吸《こきゅう》(息《いき》を吸《す》ったり吐《は》いたりすること)したときに空気《くうき》を吸《す》いこんで、体《からだ》の働《はたら》きに必要《ひつよう》な酸素《さんそ》を取《と》り入《い》れます。そして、いらなくなった二酸化炭素《にさんかたんそ》を吐《は》き出《だ》します。肺《はい》は「吸《す》って、吐《は》く」を繰《く》り返《かえ》しています。

④心臓《しんぞう》

エンジンみたいに、動《うご》き続《つづ》けるところ。血液《けつえき》を循環《じゅんかん》させて体《からだ》を動《うご》かしています。ドキドキと脈《みゃく》を感《かん》じるのは心臓《しんぞう》が動《うご》いているからです。

O2
CO2
酸素《さんそ》や二酸化炭素《にさんかたんそ》って
6年生《ねんせい》で習《なら》うんだって。
吸《す》うときと吐《は》くときで、
違《ちが》うものになっている
なんて、なんだかふしぎ。

⑤肝臓《かんぞう》

体《からだ》が吸収《きゅうしゅう》した栄養《えいよう》をためておくところ。栄養《えいよう》を必要《ひつよう》な形《かたち》に変《か》えて届《とど》けたり、いらないものをきれいな形《かたち》に変《か》える働《はたら》きがあります。また消化《しょうか》の働《はたら》きを助《たす》ける胆汁《たんじゅう》を作《つく》ります。肺《はい》や胃《い》のようにわかりやすい働《はたら》きではないので知《し》らない人《ひと》も多《おお》いのですが、大切《たいせつ》な仕事《しごと》をしている内臓《ないぞう》です。

⑥胃《い》

食《た》べたものは胃《い》に入《はい》り、ここで消化《しょうか》されます。消化《しょうか》された食《た》べ物《もの》は、体《からだ》の成《せい》長《ちょう》に役立《やくだ》つ形《かたち》に変化《へんか》して、栄養分《えいようぶん》として体《からだ》に吸収《きゅうしゅう》されていきます。

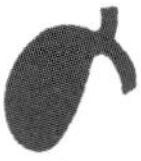

⑦胆《たん》のう

肝臓《かんぞう》が作《つく》った胆汁《たんじゅう》をためているところ。

⑧膵臓《すいぞう》

胃《い》の後《うし》ろに隠《かく》れています。消化《しょうか》を助《たす》ける膵液《すいえき》を作《つく》ります。

心《こころ》という内臓《ないぞう》はないけれど、じつは脳《のう》がいろんな感情《かんじょう》を作《つく》っています。
第《だい》2章《しょう》「心《こころ》の話《はなし》」でも説明《せつめい》しますが、心《こころ》のことは脳《のう》ととても深《ふか》いかかわりがあるのを覚《おぼ》えておいてね。

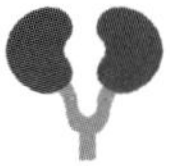

⑨腎臓《じんぞう》

おしっこを作《つく》るためのしくみを持《も》っています。毎日《まいにち》、トイレでおしっこが出《だ》せるのも腎臓《じんぞう》のおかげです。

⑩小腸《しょうちょう》

胃《い》で消化《しょうか》された栄養《えいよう》を吸収《きゅうしゅう》する働《はたら》きをします。

⑪大腸《だいちょう》

食《た》べたものが胃《い》で消化《しょうか》されて小腸《しょうちょう》を通《とお》ったあと、大腸《だいちょう》で水分《すいぶん》や栄養《えいよう》が吸収《きゅうしゅう》されて、残《のこ》ったものがうんちになります。うんちの通《とお》り道《みち》でもあります。大腸《だいちょう》の出口《でぐち》は肛門《こうもん》です。

⑫膀胱《ぼうこう》

腎臓《じんぞう》で作《つく》られたおしっこをためておくところ。

⑬陰茎《いんけい》（ペニス）

おしっこや精液《せいえき》の通《とお》り道《みち》です。刺激《しげき》によって血液《けつえき》が集《あつ》まりかたくなると、勃起《ぼっき》（52～53ページ）という現象《げんしょう》が起《お》きます。

⑭尿道《にょうどう》　おしっこの通《とお》り道《みち》。女《おんな》の子《こ》の尿道《にょうどう》（29ページ）は、男《おとこ》の子《こ》のものより短《みじか》いです。

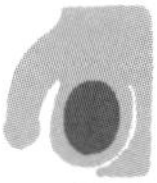

⑮精巣《せいそう》　精子《せいし》が作《つく》られるところ。

⑯陰《いん》のう　精巣《せいそう》が入《はい》っているところ。

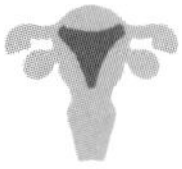

⑰子宮《しきゅう》　赤《あか》ちゃんが育《そだ》つところであり、生理《せいり》が起《お》きるところ。

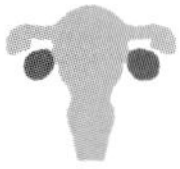

⑱卵巣《らんそう》　卵子《らんし》が入《はい》っているところ。

⑲膣《ちつ》（ワギナ）　子宮《しきゅう》につながるトンネルのようなところ。膣《ちつ》を通《とお》って赤《あか》ちゃんが生《う》まれてきます。また、生理《せいり》のときは膣《ちつ》から経血《けいけつ》（44～45ページ）が出《で》てきます。

「体《からだ》スキャン」をやってみよう

やり方

1 汚《よご》れてもいい服《ふく》に着《き》がえます。
2 大《おお》きな紙《かみ》の上《うえ》に寝《ね》ころびます。
3 マジックペンで体《からだ》をなぞります。裏《うら》にうつらないペンがおすすめです。
4 体《からだ》の部分《ぶぶん》の名前《なまえ》を書《か》いたり貼《は》ったりします。
わからないときは、26～27ページ、32～37ページを見《み》てね。

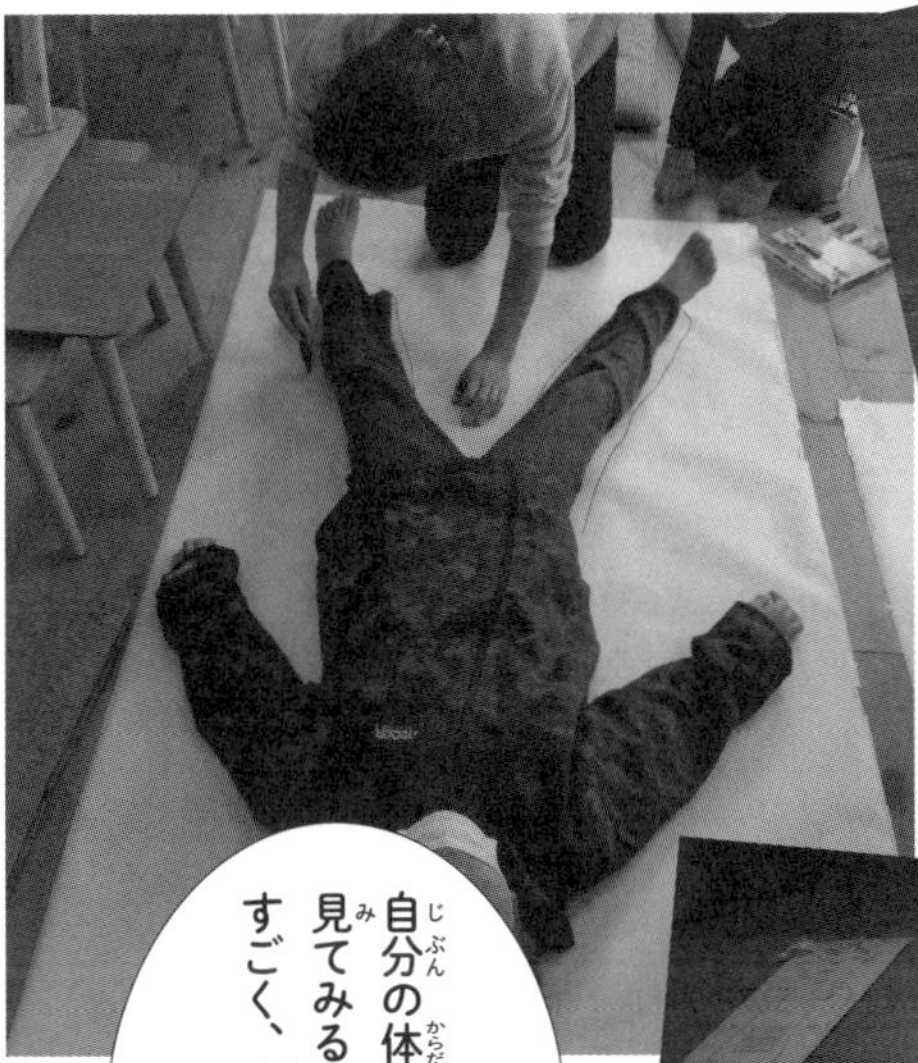

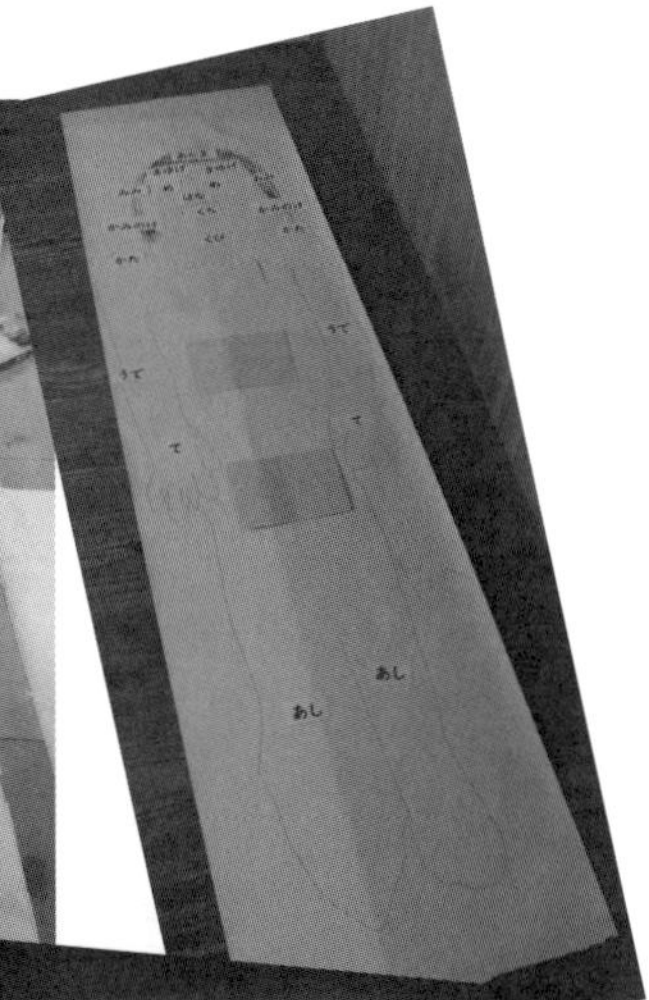

感《かん》じたこと

お守り本棚

『めくって学べる からだのしくみ図鑑』

（阿部和厚・監修、Gakken）

どうして風邪《かぜ》をひくのかな？　どうやって食《た》べ物《もの》は体《からだ》の中《なか》に運《はこ》ばれてうんちになるのかな？　もりだくさんのしかけをめくるたび、体《からだ》の働《はたら》きのすごさにワクワクしてきます。

『男の子のからだえほん』『女の子のからだえほん』

（マティルド・ボディ・作・絵、
ティフェーヌ・ディユームガール・作、
艮香織・監修、河野彩・訳、パイ インターナショナル）

これから成長《せいちょう》していく体《からだ》や性器《せいき》のこと、ジェンダーや同意《どうい》について、フランスの助産師《じょさんし》さんが教《おし》えてくれる世界標準《せかいひょうじゅん》のお話《はなし》。ユネスコの「性《せい》の健康《けんこう》と人権《じんけん》」マークを取得《しゅとく》した絵本《えほん》です。

『サッコ先生と！ からだこころ研究所』

（高橋幸子・著、リトルモア）

サッコ先生《せんせい》と一緒《いっしょ》に、小学《しょうがく》４年生《ねんせい》のここちゃんとからくんが、からだこころ研究所《けんきゅうじょ》で自分《じぶん》の心《こころ》と体《からだ》について研究《けんきゅう》しながら学《まな》んでいきます。研究員《けんきゅういん》気分《きぶん》になって知識《ちしき》がどんどん身《み》につく本《ほん》。

そろそろ、思春期《ししゅんき》です！

女《おんな》の子《こ》の体《からだ》の変化《へんか》

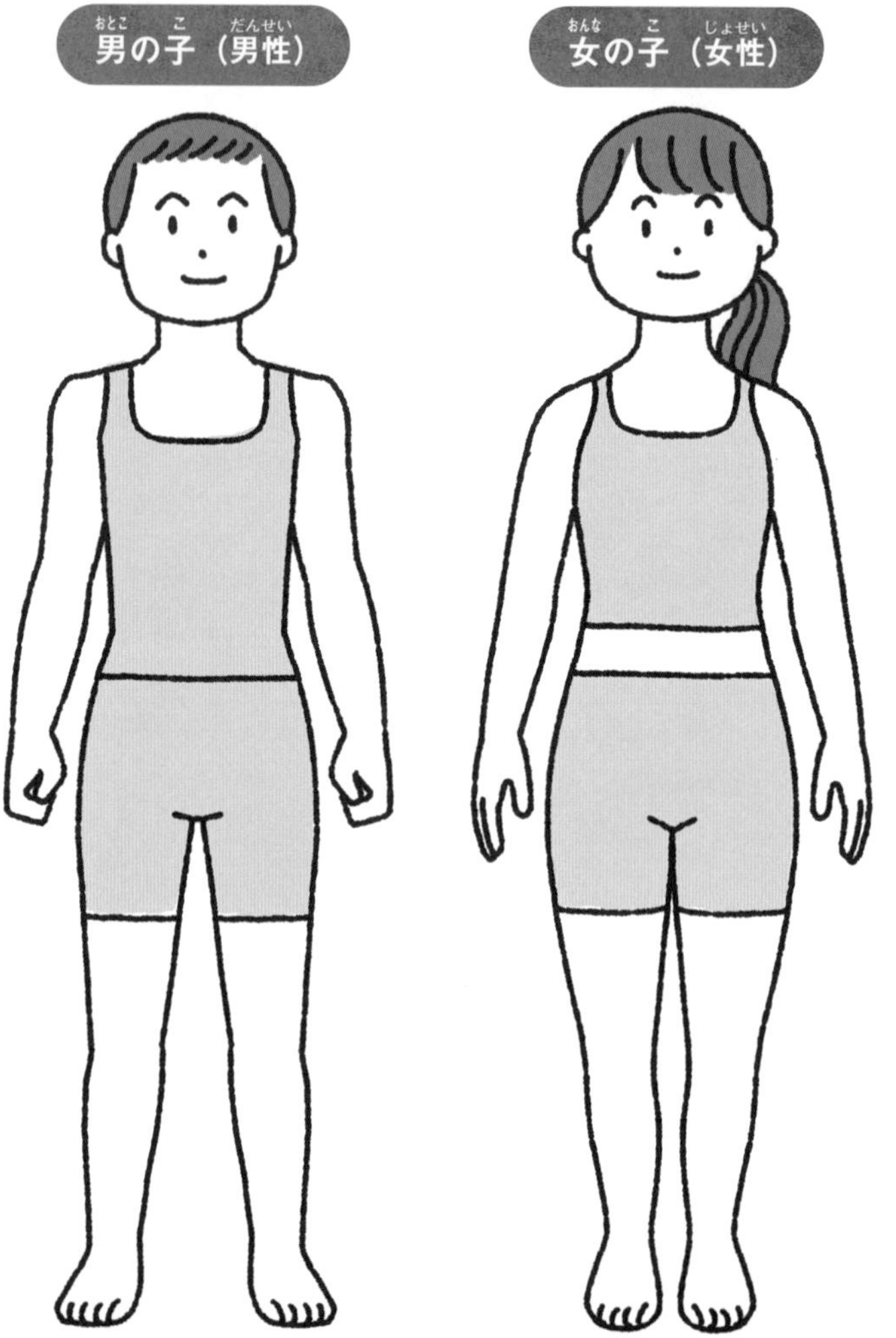

**思春期《ししゅんき》に体《からだ》に起《お》きる変化《へんか》は、
大人《おとな》になって赤《あか》ちゃんがほしいと思《おも》ったときに、
赤《あか》ちゃんを作《つく》れるようになるためのものです。**

※10～19歳《さい》の間《あいだ》、子《こ》どもから大人《おとな》に体《からだ》も心《こころ》も成長《せいちょう》していく頃《ころ》のことを「思春期《ししゅんき》」といいます。体《からだ》や心《こころ》の変化《へんか》には個人差《こじんさ》があります。

思春期《ししゅんき》の男《おとこ》の子《こ》と

同《おな》じところ

- 身長《しんちょう》がのびる
- 体重《たいじゅう》が増《ふ》える
- ニキビができる
- わき毛《げ》がはえる
- 性器《せいき》のまわりに毛《け》がはえてくる
- 体《からだ》のにおいが変《か》わる

違《ちが》うところ

男《おとこ》の子《こ》

- ひげがはえてくる
- 声《こえ》が低《ひく》くなる（声変《こえが》わり）
- うでや足《あし》の毛《け》がこくなる
- 筋肉《きんにく》がつきやすくなる（がっしりした体《からだ》つきになる）
- 性器《せいき》が大《おお》きくなる
- 精通《せいつう》をむかえる（54ページ）

女《おんな》の子《こ》

- 丸《まる》みをおびた体《からだ》つきになる
- 胸《むね》がふくらんでくる
- おしりが大《おお》きくなる
- ウエストにくびれができる
- おりものが出《で》る
- 初経《しょけい》（初潮《しょちょう》）をむかえる（44～45ページ）

今《いま》は同《おな》じなのに変《か》わっていくんだね。
ふしぎだね、想像《そうぞう》つかないや。

10歳以降《さいいこう》の体《からだ》の変化《へんか》、どうなるの？（女《おんな》の子《こ》の場合《ばあい》）

生理《せいり》（月経《げっけい》）はどこで起《お》こっているの？

女《おんな》の子《こ》は性器《せいき》に「３つのトンネル」があります（29ページ）。

１つ目《め》は、尿道《にょうどう》。おしっこが出《で》てくるトンネルです。

２つ目《め》は、膣《ちつ》（ワギナ）。経血《けいけつ》やおりものが出《で》てくるトンネルです。膣《ちつ》の奥《おく》には子宮《しきゅう》があり、子宮《しきゅう》から赤《あか》ちゃんも生《う》まれます。経血《けいけつ》は、生理《せいり》のときに流《なが》れ出《で》る血《ち》をふくんだ子宮《しきゅう》の内側《うちがわ》の膜《まく》のことです。おりものは、膣《ちつ》から出《で》てくる少《すこ》しねばねばした液《えき》です。ばい菌《きん》をやっつけてくれるので膣《ちつ》を清潔《せいけつ》に保《たも》つことができます。

３つ目《め》は、肛門《こうもん》。うんちが出《で》てくるトンネル（大腸《だいちょう》の出口《でぐち》）です。

なんで生理《せいり》は起《お》こるの？

体《からだ》が成長《せいちょう》すると、ホルモンの働《はたら》きで大人《おとな》の女性《じょせい》の体《からだ》になる準備《じゅんび》として、生理《せいり》が起《お》こります。

この本《ほん》では月経《げっけい》のことを生理《せいり》、初《はじ》めての生理《せいり》のことを初経《しょけい》と表現《ひょうげん》しています。

経血《けいけつ》が出《で》てくるので、まるでケガをしているように見《み》えるかもしれませんが、そうではないので大丈夫《だいじょうぶ》です。多《おお》くの人《ひと》が月《つき》に1回《かい》、1週間《しゅうかん》くらいの生理期間《せいりきかん》があります。人《ひと》によって違《ちが》いますが、だいたい生理《せいり》は、50歳前後《さいぜんご》で終《お》わります。赤《あか》ちゃんのたまごに当《あ》たる卵子《らんし》の数《かず》が歳《とし》をとるたびに減《へ》っていくからです。子《こ》どもの体《からだ》は成長《せいちょう》して大《おお》きく変化《へんか》するけれど、大人《おとな》の体《からだ》にもこうした変化《へんか》は起《お》こります。

生理《せいり》のしくみ

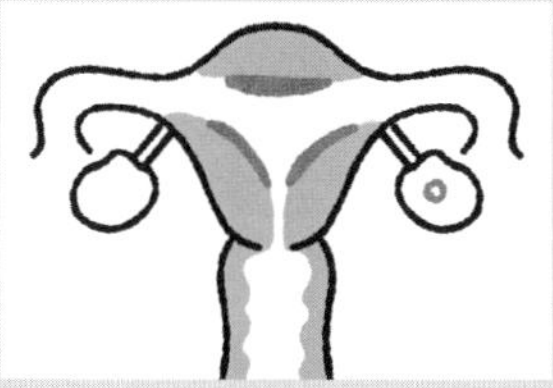

①

生理《せいり》がはじまる頃《ころ》に、卵巣《らんそう》から卵子《らんし》（赤《あか》ちゃんのたまご）が成長《せいちょう》しはじめます。

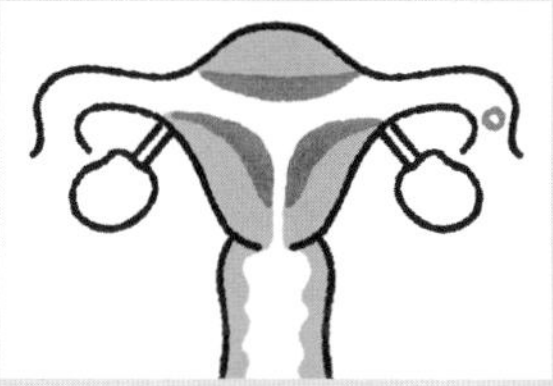

②

たくさんの卵子《らんし》が成長《せいちょう》します。その中《なか》の１個《こ》がだいたい月《つき》に１回《かい》くらい、卵巣《らんそう》から飛《と》び出《だ》します。それを排卵《はいらん》といいます。

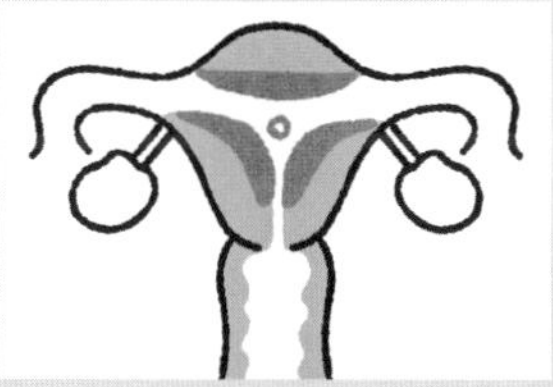

③

子宮《しきゅう》の内側《うちがわ》の膜《まく》が、ふかふかに厚《あつ》くなります。

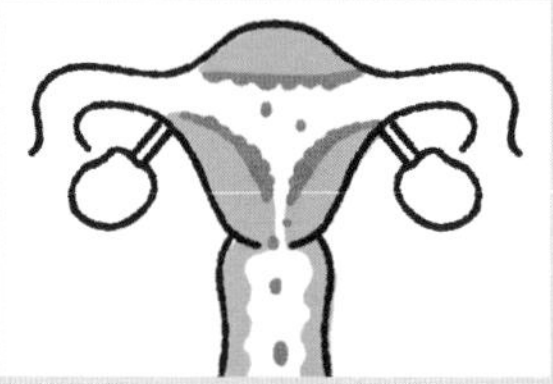

④

子宮《しきゅう》の内側《うちがわ》の膜《まく》がはがれて、腟《ちつ》（ワギナ）から外《そと》に出《で》てきます。生理《せいり》は、初経《しょけい》（初《はじ》めての生理《せいり》）をむかえてからだいたい月《つき》に１回《かい》きます。１回《かい》の生理《せいり》の期間《きかん》は３〜７日《か》くらいです。

生《せ》理《いり》のときは、生《せ》理《いり》用《よう》品《ひん》で手《て》当《あ》てします

紙《かみ》ナプキン

ショーツに当《あ》てて経血《けいけつ》を吸収《きゅうしゅう》。
下着《したぎ》や服《ふく》にもれないようにするアイテム。

いろんなタイプから、好《す》きなものを選《えら》べます。羽《はね》つきは、体育《たいいく》があったり、たくさん動《うご》くときにずれにくくておすすめ。経血《けいけつ》の量《りょう》にあわせて、普通《ふつう》の日《ひ》の昼用《ひるよう》や多《おお》い日《ひ》の昼用《ひるよう》、夜用《よるよう》などを選《えら》べます。トイレのたびに交換《こうかん》しましょう。

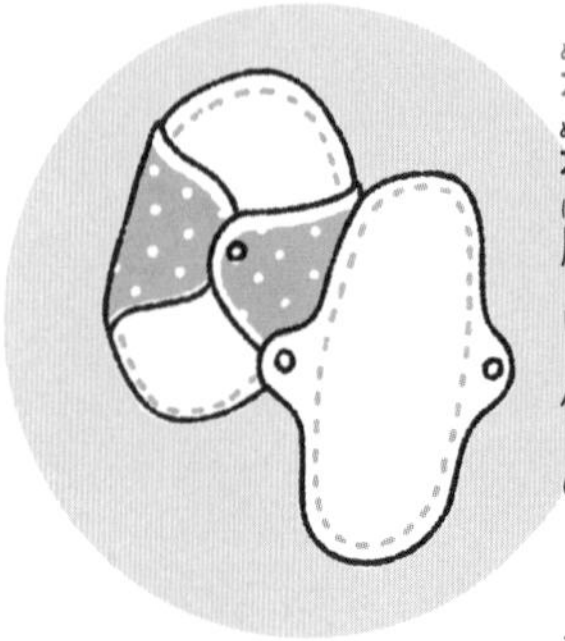

布《ぬの》ナプキン

布《ぬの》でできたナプキン。洗《あら》って何度《なんど》も使《つか》える。

肌《はだ》にやさしい布《ぬの》で作《つく》られているので、肌《はだ》が弱《よわ》い子《こ》、かぶれやすい子《こ》におすすめ。
使用後《しようご》は、水《みず》かぬるま湯《ゆ》で汚《よご》れを落《お》とし、他《ほか》の洗濯物《せんたくもの》と同《おな》じように洗濯機《せんたくき》で洗《あら》います。シミや汚《よご》れが取《と》れないときは、酸素系漂白剤《さんそけいひょうはくざい》につけおき洗《あら》いします。

吸収《きゅうしゅう》ショーツ

ショーツ自体《じたい》が経血《けいけつ》を吸収《きゅうしゅう》してくれる。

ショーツと変《か》わらない履《は》き心地《ごこち》。「もうすぐ生理《せいり》がきそうだな」というときや、生理《せいり》が終《お》わりかけで経血《けいけつ》が少《すく》ない日《ひ》、おりものが多《おお》いときに使《つか》ってみましょう。

いろんな生理用品《せいりようひん》があるんだね。どれがいいかな？

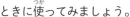

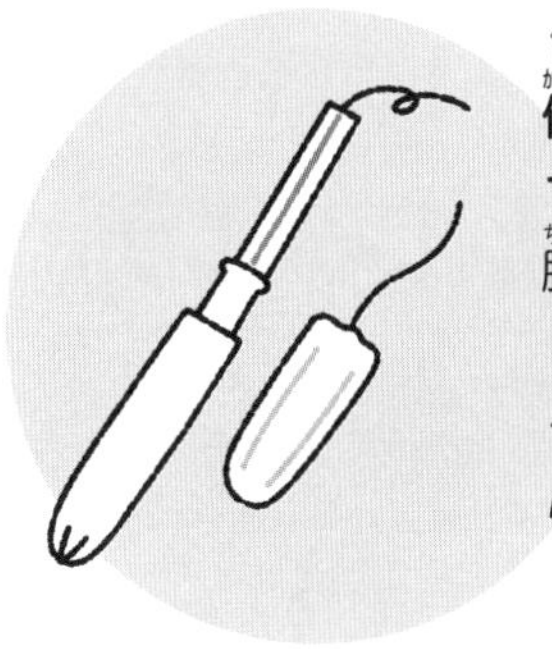

タンポン

体《からだ》の中《なか》（腟《ちつ》）で経血《けいけつ》を吸収《きゅうしゅう》するから、
プールも温泉《おんせん》も大丈夫《だいじょうぶ》。

腟《ちつ》の奥《おく》のほうは感覚《かんかく》のないところなので、痛《いた》くありませんし、入《い》れているのを忘《わす》れてしまうくらいです。連続《れんぞく》して使《つか》えるのは8時間《じかん》くらいまでなので、忘《わす》れずに交換《こうかん》しましょう。

月経《げっけい》カップ

体《からだ》の中《なか》（腟《ちつ》）で経血《けいけつ》を受《う》けるカップ。
繰《く》り返《かえ》し使《つか》える。

折《お》りたたんだ状態《じょうたい》で腟《ちつ》の中《なか》に入《い》れ、広《ひろ》げて使《つか》います。つけている感覚《かんかく》もあまりないため、快適《かいてき》です。タンポンのように経血《けいけつ》を受《う》けとめてくれるので、プールや温泉《おんせん》にも入《はい》れます。カップにたまった経血《けいけつ》はカップを取《と》り出《だ》してからトイレに捨《す》てます。カップは洗《あら》って消毒《しょうどく》し、繰《く》り返《かえ》し使《つか》えます。

生理《せいり》がくる前《まえ》も、
生理《せいり》がきてからも、自分《じぶん》の体《からだ》を
洗《あら》うことは大切《たいせつ》ですね。
性器《せいき》のまわりは
ゴシゴシこすりすぎないように、
お風呂《ふろ》でやさしく、
シャワーやぬるま湯《ゆ》で
流《なが》しておきましょう。
スリム
昼用

世界《せかい》には、生理用《せいりよう》ナプキンはとても高価《こうか》で、手《て》に入《はい》りにくい国《くに》もあります。生理中《せいりちゅう》は、葉《は》っぱや、新聞《しんぶん》、ぼろ布《ぬの》を当《あ》てたり、生理用品《せいりようひん》がないために学校《がっこう》を休《やす》まなくてはいけない少女《しょうじょ》たちもたくさんいます。世界中《せかいじゅう》のすべての女《おんな》の子《こ》たちが、生理用品《せいりようひん》を使《つか》える、そんな社会《しゃかい》になるといいですね。

ワーク
7

紙《かみ》ナプキンに水《みず》を吸《す》わせる実験《じっけん》をしてみよう

紙《かみ》ナプキンのパッケージを開《あ》けて、さわってみましょう。

そして、水《みず》を吸《す》わせてみます。色水《いろみず》のほうが吸《す》っているのがよくわかるので、絵《え》の具《ぐ》で少《すこ》しだけ色《いろ》をつけてみましょう。多《おお》ければ大《おお》さじ2杯分《はいぶん》くらい（約《やく》30ml）は吸《す》えるはずですが、紙《かみ》ナプキンのサイズにもよります。

紙《かみ》ナプキンを試《ため》したあとは、吸水《きゅうすい》ショーツやタンポンでもぜひ実験《じっけん》してみてくださいね。

実際《じっさい》にどのくらい、水《みず》を吸《す》えるでしょうか？

用意するもの

●紙《かみ》ナプキン（昼用《ひるよう》／夜用《よるよう》）
●水《みず》（20ml と 140ml を透明《とうめい》のカップに入《い》れておく）
●大《おお》さじ（15ml）
●絵《え》の具《ぐ》
●ゴミ袋《ぶくろ》（片《かた》づけ用《よう》）
●タオル（水《みず》ふき用《よう》）
●トレイ（吸水《きゅうすい》させたナプキンを置《お》く用《よう》）

〈大《おお》さじ２の目安《めやす》〉

やり方

1　紙《かみ》ナプキンのパッケージを読《よ》みます。

昼用《ひるよう》、夜用《よるよう》、羽《はね》つき、羽《はね》なしなど、いろいろあります。パッケージを一度《いちど》、じっくり読《よ》んでみましょう。

2　生理《せいり》１回《かい》の経血量《けいけつりょう》を、目《め》で見《み》て確《たし》かめてみます。

１回《かい》の生理《せいり》では、20～140ml の経血《けいけつ》が３～7日《か》かけて出《で》てきます。20ml と 140ml の色水《いろみず》を用意《ようい》して、どれくらいの量《りょう》か見比《みくら》べてみましょう。

3　紙《かみ》ナプキンに水《みず》を吸《す》わせてみます。

まずは、紙《かみ》ナプキンが濡《ぬ》れるくらいの量《りょう》を吸《す》わせます。

4　３の紙《かみ》ナプキンを、うでに巻《ま》きつけてみます。

うでに当《あ》ててみると、触《ふ》れた感《かん》じがよくわかります。パッケージには「さらさら」などと書《か》いてありますが、実際《じっさい》はどうでしょうか？思《おも》ったままに感想《かんそう》を言《い》ってみましょう。

感《かん》じたこと

ワーク
8

「初《はじ》めての生理《せいり》」を想像《そうぞう》してみよう

Q1 生理《せいり》って、どんなものだろう？　自由《じゆう》に考《かんが》えてみましょう。

Q2 もしも初《はじ》めて生理《せいり》がきたら、どんなふうにすごしたいですか？
お祝《いわ》いをしてもいいし、しなくてもいいです。
「誰《だれ》かに言《い》うのは、なんだかいやだなぁ」と思《おも》っても大丈夫《だいじょうぶ》。
みんなに話《はな》したい人《ひと》はもちろん、そうしてもいいんですよ。

ミーポンとキヨチの
青春 読書のーと
34回「なんでかな?」の巻
ボクら最近よくケンカしてるよねぇ
ッケー!
度お互いの悪口を書き出してみない?
あらキヨチ大変!
ペンがとまらない!
シャカシャカ
&S COMMUNICATIONS

構想や原稿を
送ってね!
お待ちしてます〜♪

第1
そうねぇ…
どうした!
え?

コラム 初《はじ》めての生理《せいり》の思《おも》い出《で》

あいこさんのお母《かあ》さんのお話《はなし》です。

あいこさんのお母《かあ》さんは、日本《にほん》が大《おお》きな戦争《せんそう》を終《お》えた頃《ころ》に生《う》まれました。その頃《ころ》は、生理《せいり》（生理《せいり》がくること）は「はずかしい」と言《い》われていたような時代《じだい》だったのですね。

そんな時代《じだい》の中《なか》で、あいこさんのお母《かあ》さんはクラスでいちばん早《はや》く、４年生《ねんせい》のときに生理《せいり》がきたんです。

そのことをお母《かあ》さん（あいこさんのおばあちゃん）に報告《ほうこく》したら、「なんてはずかしい子《こ》だ！　こんなに早《はや》く大人《おとな》の体《からだ》になるなんて」と言《い》われたのだそうです。

初《はじ》めて生理《せいり》になったときの思《おも》い出《で》が、悲《かな》しいものになってしまったんですね。

そんなことがあったので、あいこさんのお母《かあ》さんは、「自分《じぶん》に将来娘《しょうらいむすめ》が生《う》まれて、その子《こ》に生理《せいり》がきたら、『おめでとう』と言《い》ってあげたいな」と思《おも》ったのだそうです。

生理《せいり》になったとき、あいこさんは最初《さいしょ》にお母《かあ》さんに報告《ほうこく》しました。

そうしたら、お母《かあ》さんはわかりやすく紙《かみ》ナプキンの使《つか》い方《かた》などを教《おし》えてくれました。

そして、こう言《い》ったんです。

「今日《きょう》の夜《よる》ごはんは、あいこちゃんが好《す》きなものを食《た》べよう」と。

そして、あいこさんの願《ねが》い通《どお》り、大《おお》きな寿司桶《すしおけ》に入《はい》った立派《りっぱ》なお寿司《すし》を用意《ようい》してくれました。

お母《かあ》さんなりに、娘《むすめ》に生理《せいり》がきたことを喜《よろこ》んでくれたのですね。

あいこさんにとっては、生理《せいり》になった日《ひ》のことはとても楽《たの》しい思《おも》い出《で》です。

この本《ほん》を読《よ》んでいる子《こ》の中《なか》には、これから生理《せいり》になる子《こ》もいるでしょうね。

「もし生理《せいり》になったら、どんなかな？」と、今《いま》からイメージしておいて、おうちの人《ひと》とお話《はな》ししておくのもいいかもしれないね。

10歳以降《さいいこう》の体《からだ》の変化《へんか》、どうなるの？（男《おとこ》の子《こ》の場合《ばあい》）

陰茎《いんけい》（ペニス）がかたくなるのは、なんでかな？

陰茎《いんけい》に血液《けつえき》がたくさん入《はい》ってくると、かたくなります。そのことを「勃起《ぼっき》」といいます。陰茎《いんけい》の皮《かわ》(包皮《ほうひ》)がひっぱられて、きゅうくつな感《かん》じや痛《いた》い感《かん》じがする人《ひと》もいます。

勃起《ぼっき》が終《お》わって陰茎《いんけい》がやわらかくなると、血液《けつえき》はまた体《からだ》の中《なか》へもどっていきます。勃起《ぼっき》しても、他《ほか》のことを考《かんが》えているうちに、すぐにまた元《もと》にもどります。

男性《だんせい》であれば、お母《かあ》さんのおなかの中《なか》にいる赤《あか》ちゃんの頃《ころ》からおじいさんになるまで、日《ひ》に何回《なんかい》か、夜寝《よるね》ているときも勃起《ぼっき》をします。そういうふうに体《からだ》が作《つく》られているんです。

勃起《ぼっき》するしくみ

①やわらかい陰茎《いんけい》

ふだんはふにゃふにゃです。陰茎《いんけい》をさわると気持《きも》ちいいなと感《かん》じる人《ひと》もいるでしょう。さわるときは、自分《じぶん》1人《ひとり》だけのときや1人《ひとり》だけになれる場所《ばしょ》でさわりましょう。さわっていると、勃起《ぼっき》することもあります。

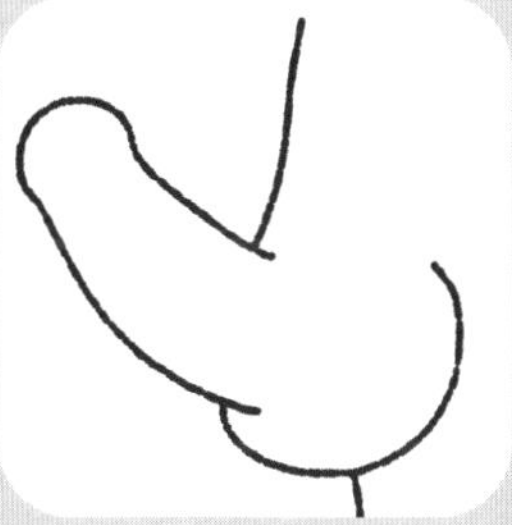

②勃起《ぼっき》する（血液《けつえき》が陰茎《いんけい》にたくさん入《はい》り、かたくなって立《た》つ）

さわっているときだけでなく、朝《あさ》、目《め》がさめたときに勃起《ぼっき》していることはよくありますが、これは健康《けんこう》なしるしです。おしっこがしたいとき、興奮《こうふん》したとき、気持《きも》ちがいいことを想像《そうぞう》したときなどにも勃起《ぼっき》します。

③体《からだ》のほうに血液《けつえき》がもどる

勃起《ぼっき》してしばらくすると血液《けつえき》は体《からだ》の中《なか》にもどっていくので、元《もと》の陰茎《いんけい》にもどります。急《きゅう》に勃起《ぼっき》してしまうこともあります。自分《じぶん》ではコントロールできない自然《しぜん》な体《からだ》の反応《はんのう》なので、心配《しんぱい》はいりません。とくに何《なに》かしなくても、他《ほか》のことを考《かん》えてみたり、別《べつ》のことをしてほおっておけば自然《しぜん》に元通《もとどお》りになります。

骨《ほね》が入《はい》っているのかと思《おも》ったよー
全身《ぜんしん》ホネです、
ワタシ……

精通《せいつう》って、何《なに》？

思春期《ししゅんき》になり、精巣《せいそう》で精子《せいし》（赤《あか》ちゃんのもと）が作《つく》られるようになると、ティースプーン1杯《ぱい》ほどのトロっとした白《しろ》い液《えき》（精液《せいえき》）に包《つつ》まれて、精子《せいし》が陰茎《いんけい》（ペニス）の先《さき》から出《で》てくることがあります。これを「射精《しゃせい》」といいます。

また、初《はじ》めての射精《しゃせい》のことを「精通《せいつう》」といいます。精通《せいつう》は、大人《おとな》の体《からだ》になる準備《じゅんび》がはじまったサインです。

精子《せいし》って じつはこんな感《かん》じです

❶射精《しゃせい》の「射《しゃ》」は、ロケットを打《う》ち出《だ》すという意味《いみ》の、発射《はっしゃ》の「射《しゃ》」です。精液《せいえき》が飛《と》び出《だ》す速度《そくど》は、世界《せかい》記録《きろく》を持《も》つ100メートル走者《そうしゃ》の速《はや》さと同《おな》じくらいだそう！

❷精液《せいえき》が白《しろ》いのは、精子《せいし》が動《うご》くための栄養《えいよう》（糖分《とうぶん》）が白《しろ》い色《いろ》をしているからです。白《しろ》い液体《えきたい》の中《なか》には、たくさんの精子《せいし》だけでなく、精子《せいし》が生《い》き抜《ぬ》くための栄養《えいよう》やバリアなどがふくまれています。

❸射精《しゃせい》する精液《せいえき》の中《なか》には、1億個《おくこ》くらいの精子《せいし》が入っています。

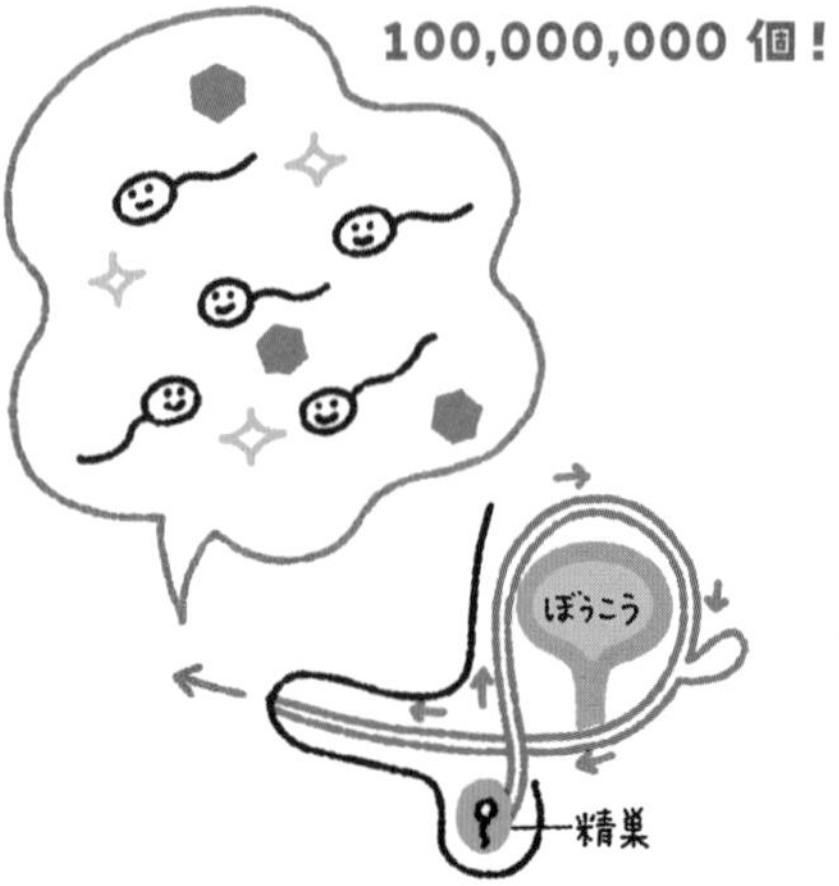
100,000,000 個！
ぼうこう
精巣

知《し》っておくと 自分《じぶん》の体《からだ》のことが もっと身近《みぢか》に 感《かん》じられるワン♪

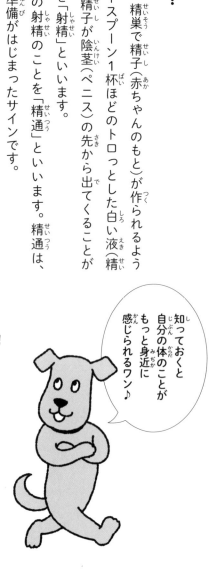

いつ、どんなとき射精《しゃせい》する？

寝《ね》ているとき、自分《じぶん》の知《し》らない間《あいだ》に射精《しゃせい》することもありますが、それを「夢精《むせい》」といいます。

夢精《むせい》が週《しゅう》に1回《かい》の人《ひと》もいれば、月《つき》に1回《かい》の人《ひと》もいるでしょう。人《ひと》それぞれ違《ちが》います。

また、陰茎《いんけい》をさわっていると気持《きも》ちよくなって、精液《せいえき》が出《で》てくることがあります。陰茎《いんけい》から出《で》てくるので、おもらししたかとあわてるときもあるけれど、心配《しんぱい》しなくても大丈夫《だいじょうぶ》。

ちなみに、精液《せいえき》には尿《にょう》はまざっていません。

陰茎《いんけい》をさわっていると、なんだか落《お》ちついたり、ほっとしたりします。それを「セルフプレジャー」（56、62～63ページ）といいます。

とても自然《しぜん》なことね。
なんか落《お》ちつく～
うんうん
体《からだ》の変化《へんか》について知《し》っておくと安心《あんしん》だね。

射精《しゃせい》したあとのケアやセルフプレジャーについて

Q1

夢精《むせい》で下着《したぎ》に精液《せいえき》がついたら？

下着《したぎ》についた精液《せいえき》を水《みず》でこすり洗《あら》いしてから洗濯機《せんたくき》へ入《い》れるようにしましょう。
その家《いえ》の洗濯物《せんたくもの》のルールがあるはずなので、おうちの人《ひと》と相談《そうだん》しておくといいですね。

Q2

セルフプレジャーをしたくなったら？

１人《ひとり》きりのところでしましょう。あなたもまわりの人《ひと》も安心《あんしん》できるルールやマナーなので、覚《おぼ》えておいてくださいね。
性器《せいき》はやわらかく傷《きず》つきやすいところなので、きれいな手《て》で、やさしく触《ふ》れるようにしましょう。

Q3

セルフプレジャーでの射精《しゃせい》の後始末《あとしまつ》はどうしたらいい？

ティッシュやウェットティッシュなどで精液《せいえき》をふき取《と》って、ゴミ箱《ばこ》に捨《す》てるようにしましょう。そのへんにポイっと捨《す》てないでね。精液《せいえき》は時間《じかん》が経《た》つとにおいがするので、ゴミ箱《ばこ》のなかみは、ゴミの日《ひ》に出《だ》すようにしましょう。

セルフプレジャーをするのは自然《しぜん》なことニャン。
でも、ルールやマナーも覚《おぼ》えておくニャン。

ワーク
9

「初《はじ》めての射精《しゃせい》」を想像《そうぞう》してみよう

Q1 初《はじ》めての射精《しゃせい》が起《お》きたら、どんな気持《きも》ちになるかな？
自由《じゆう》に考《かんが》えてみましょう。

Q2 もしも夢精《むせい》が起《お》きたら、どうしますか？　洗濯《せんたく》の方法《ほうほう》、下着《したぎ》を置《お》いておく場所《ばしょ》のことなどを考《かんが》えてみましょう。

まだまだ、思春期《ししゅんき》です！

思春期《ししゅんき》の心《こころ》の変化《へんか》

10歳頃《さいころ》になると、体《からだ》の成長《せいちょう》だけではなく、心《こころ》も成長《せいちょう》してきて、もしかしたら右《みぎ》ページのマンガのように、まわりの大人《おとな》にイライラすることが増《ふ》えるかもしれません。仲《なか》よくしたかったのに、ケンカになったり困《こま》らせたりすることもあるかもしれません。そんな心《こころ》の変化《へんか》が、成長《せいちょう》の中《なか》では自然《しぜん》に起《お》きるということを知《し》っておいてほしいのです。でも、それはずっと続《つづ》くものではないので、安心《あんしん》してくださいね。

体《からだ》の変化《へんか》が人《ひと》それぞれ違《ちが》うように、心《こころ》の変化《へんか》もいろいろです。早《はや》ければいいわけでもないし、遅《おそ》ければいいわけでもありません。みんな違《ちが》うのがあたりまえだから、のんびりと気長《きなが》に、自分《じぶん》のことを見守《みまも》りましょう。

体《からだ》と心《こころ》の変化《へんか》、どちらも1人《ひとり》で受《う》けとめるのがちょっとつらくなったり、心配《しんぱい》になったりしたら、勇気《ゆうき》を出《だ》して誰《だれ》かに話《はな》してみましょう。おうちの人《ひと》でもいいし、担任《たんにん》の先生《せんせい》や保健室《ほけんしつ》の先生《せんせい》、スクールカウンセラーの先生《せんせい》でもいいでしょう。いちばん言《い》いやすい人《ひと》でいいと思《おも》います。

プライベートゾーンって、何《なに》？

口《くち》、胸《むね》、性器《せいき》、おしり（肛門《こうもん》）は「プライベートパーツ」、または、「水着《みずぎ》で隠《かく》れる部分《ぶぶん》と口《くち》はプライベートゾーン」だと学《まな》んだ子《こ》もいるでしょう。「プライベート」は「自分《じぶん》だけの」、「ゾーン」は「場所《ばしょ》」。つまり、「プライベートゾーン」は「自分《じぶん》だけの大切《たいせつ》な場所《ばしょ》」という意味《いみ》です。でも、口《くち》、胸《むね》、性器《せいき》、おしり（肛門《こうもん》）や、水着《みずぎ》で隠《かく》れる部分《ぶぶん》以外《いがい》も、体全部《からだぜんぶ》が大切《たいせつ》で、プライベートなものですね。

あなたも、まわりの人《ひと》も、安心《あんしん》して暮《く》らすための体《からだ》の約束《やくそく》（ルール）をお伝《つた》えします。

①自分以外《じぶんいがい》の人《ひと》が、あなたの体《からだ》を勝手《かって》に見《み》たり、触《ふ》れたりすることはできません。
②誰《だれ》かが自分《じぶん》の体《からだ》を、勝手《かって》にあなたに見《み》せてきたり、さわらせたりすることはできません。
③相手《あいて》が「いいよ」と言《い》わないのに、写真《しゃしん》や動画《どうが》を撮《と》ったりすることはできません。

プライベートゾーンだけが大切《たいせつ》なのではなく、あなたの体《からだ》のすべての部分《ぶぶん》が大切《たいせつ》で、プライベートであることも、忘《わす》れないでください。

ワーク 10

プールでは、何《なに》を着《き》る？

●どんな水着《みずぎ》かな？
●ラッシュガードは着《き》る？　着《き》ない？
●ゴーグルは？
●スイムキャップはかぶる？
まわりの人《ひと》にも聞《き》いてみましょう。

自分

まわりの人

性器《せいき》をさわっても、いいの？

男《おとこ》の子《こ》も女《おんな》の子《こ》も、性器《せいき》をさわっていると、気持《きも》ちよかったり、ふんわりとした気持《きも》ちになったり、落《お》ちつくことがあります。これを「セルフプレジャー」といいます。

性器《せいき》もあなたの体《からだ》の一部《いちぶ》なので、さわっても大丈夫《だいじょうぶ》。でも、自分《じぶん》だけの大切《たいせつ》なところは、自分《じぶん》1人《ひとり》きりのときや、1人《ひとり》になれる場所《ばしょ》でさわるのがマナーです。

自分《じぶん》もまわりの人《ひと》も安心《あんしん》できる、セルフプレジャーの3つのルールを紹介《しょうかい》するよ。

① 1人《ひとり》で、安心《あんしん》・安全《あんぜん》な場所《ばしょ》でする。
② きれいな手《て》でする。
③ ケガをしないようにやさしくさわる。

「性器《せいき》」は、おしっこの出《で》るところやそのまわりのことをいいます。性器《せいき》は体《からだ》の中《なか》でもとくに、自分《じぶん》だけの大切《たいせつ》なところ（プライベートなところ）ですから、勝手《かって》に誰《だれ》かにさわられたり見《み》られたりしたら、「いや」って思《おも》うことがあります。

でも、病気《びょうき》やケガをしたら、病院《びょういん》でお医者《いしゃ》さんや看護師《かんごし》さんに診《み》てもらうこともあるでしょう。

治療《ちりょう》のために診《み》てもらうときでも、やはり「いやだな」と感《かん》じることがあるかもしれません。「いやだな」と感《かん》じるのは、あなたが「安心《あんしん》できない」状態《じょうたい》だからです。

そういうときは、

「今《いま》は診《み》てもらいたくない」

「おうちの人《ひと》に隣《となり》にいてもらったら、いやじゃないかもしれない」

「1人《ひとり》じゃいやだ。誰《だれ》かが手《て》をつないでいてくれたらいい」

と、自分《じぶん》がどうしたらいやな気持《きも》ちにならないか、伝《つた》えてみましょう。

お風呂《ふろ》でも
自分《じぶん》で体《からだ》を
きれいに洗《あら》うものね。
自分《じぶん》の体《からだ》は
自分《じぶん》でさわっても
いいんだね、
安心《あんしん》したよ。

思春期《ししゅんき》あるある！ Q&A

Q1
どうして体《からだ》に毛《け》がはえてくるの？

A

目《め》に見《み》えないくらいの産毛《うぶげ》もふくめて、体《からだ》にはたくさんの毛《け》がはえています。それは体《からだ》を小《ち》さなケガ（こすれたり、ぶつけたりすること）から守《まも》ったり、体温《たいおん》を保《たも》つためです。わきの下《した》や性器《せいき》のまわりは皮膚《ひふ》がうすくてデリケートだから、成長《せいちょう》とともに、体《からだ》を守《まも》るために毛《け》がはえてきます。

Q2
お風呂《ふろ》にいつまで一緒《いっしょ》に入《はい》っていいの？

A

おうちごとに、いつまで一緒《いっしょ》に入《はい》るかは、違《ちが》いますね。でも、「一緒《いっしょ》に入《はい》るのは、いやだな（NO《ノー》）」と誰《だれ》かが思《おも》ったら、別々《べつべつ》に入《はい》ったほうがいいでしょう。たとえば、あなたが誰《だれ》かと一緒《いっしょ》に入《はい》りたくなかったら、「1人《ひとり》で入《はい》りたい」と言《い》いましょう。

逆《ぎゃく》に、誰《だれ》かと一緒《いっしょ》に入《はい》ることを自分《じぶん》はいいと思《おも》っていても、「もうあなたも大《おお》きな体《からだ》になってきたし、1人《ひとり》で入《はい》りなさい」「もう一緒《いっしょ》に入《はい》りたくないよ」と、きょうだいや大人《おとな》が言《い》うかもしれません。それは、相手《あいて》が「一緒《いっしょ》に入《はい》るのがいやだな（NO《ノー》）」と感《かん》じているということです。

「NO《ノー》」に理由《りゆう》はいりません（100〜103ページ）。また、相手《あいて》が「いやだな」と感《かん》じたとしても、あなたを嫌《きら》いになったわけでもありません。

自分《じぶん》がどうしたいのか、相手《あいて》に話《はな》してみましょう。

※大浴場《だいよくじょう》での混浴《こんよく》は7歳以下《さいいか》になっています（2024年《ねん》6月現在《がつげんざい》）。

Q3
お母《かあ》さんと入浴《にゅうよく》していたら、お母《かあ》さんから血《ち》が出《で》てきた！

A

たいていの大人《おとな》の女《おんな》の人《ひと》は、月《つき》に1回《かい》、生理《せいり》があります（44〜45ページ）。性器《せいき》（膣《ちつ》）から経血《けいけつ》が出《で》ますが、病気《びょうき》でもケガでもないので、心配《しんぱい》しなくても大丈夫《だいじょうぶ》です。

Q4
生理中《せいりちゅう》にプールに入《はい》っていいの？

A

生理中《せいりちゅう》には「タンポン」や「月経《げっけい》カップ」を使《つか》えばプールに入《はい》ることができます（47ページ）。こうした生理用品《せいりようひん》は、膣《ちつ》から経血《けいけつ》が流《なが》れ出《で》るのを受《う》けとめてくれるので役立《やくだ》ちます。ただ、おなかの痛《いた》みが強《つよ》すぎたり、気分《きぶん》が悪《わる》かったりなど、体調《たいちょう》が悪《わる》いときは、無理《むり》せずに見学《けんがく》やお休《やす》みをしてくださいね。

Q5

生理《せいり》って、痛《いた》いの？

A

生理中《せいりちゅう》の人《ひと》が、おなかを痛《いた》そうにしているのを見《み》たことがあるかもしれませんね。大人《おとな》でも10人中《にんちゅう》7人《にん》くらいは「おなかが痛《いた》い」と感《かん》じているようですが、痛《いた》くない人《ひと》もいます。生理痛《せいりつう》も、人《ひと》によって違《ちが》います。

学校《がっこう》に行《い》けない、ずっと寝《ね》ていたいくらい大変《たいへん》なときは、お医者《いしゃ》さんに相談《そうだん》して、生理《せいり》が楽《らく》になるような薬《くすり》を飲《の》むこともあります。体《からだ》を動《うご》かしたり、温《あたた》めたりすることで痛《いた》みがやわらぐこともあるので、不安《ふあん》に思《おも》わなくても大丈夫《だいじょうぶ》です。また、不安《ふあん》な気持《きも》ちが軽《かる》くなると、痛《いた》みもやわらぎます。安心《あんしん》してすごすことって、とても大切《たいせつ》なんですね。

Q6

もしも生理《せいり》がこなかったら？

A

生理《せいり》がこなくて不安《ふあん》になっている子《こ》もいるかもしれませんね。体《からだ》の発達《はったつ》はさまざまですから心配《しんぱい》しすぎないようにしましょう。小学生《しょうがくせい》で生理《せいり》になる子《こ》もいれば、中学生《ちゅうがくせい》になってからの子《こ》もいます。もしも、高校生《こうこうせい》になっても生理《せいり》がこないときは保健室《ほけんしつ》の先生《せんせい》や婦人科《ふじんか》のお医《い》者《しゃ》さんに相談《そうだん》をしましょう。

Q7

胸《むね》にかたいかたまりがあるけど、大丈夫《だいじょうぶ》？

A

胸《むね》が大《おお》きくふくらんでくると、胸《むね》の中《なか》にかたい円盤《えんばん》のような、ぐりぐりとしたかたまり（しこり）ができることがあります。これは、母乳《ぼにゅう》を作《つく》る役割《やくわり》がある「乳腺《にゅうせん》」というものです。乳腺《にゅうせん》も成《せい》長《ちょう》して大《おお》きくなります。男《おとこ》の子《こ》も胸《むね》がふくらんだりかたまりができることがありますが、だんだんなくなっていくので心配《しんぱい》いりません。

Q8
おちんちんの先《さき》がかゆい…

A

まずは、かゆいところをよく見《み》てみましょう。陰茎《いんけい》（ペニス）のさきっちょだけが赤《あか》くなっていて、かゆいですか？ それくらいであれば、毎日《まいにち》お風呂《ふろ》で性器《せいき》をしっかり洗《あら》うだけでよくなるかもしれません。

●陰茎《いんけい》の洗《あら》い方《かた》
①包皮《ほうひ》を痛《いた》くないところまでひく。
②やさしく洗《あら》う（泡《あわ》はつけてもつけなくてもいいです。つける場合《ばあい》はよく流《なが》す）。
③包皮《ほうひ》を元《もと》にもどす。

性器《せいき》は自分《じぶん》で洗《あら》って、大切《たいせつ》にしていきましょう。

それでもよくならないときや、大《おお》きくはれている・ブツブツができている・ひりひりする・おしっこするときに痛《いた》むなどの症状《しょうじょう》があれば、おうちの人《ひと》に伝《つた》えて、病院《びょういん》（小児科《しょうにか》や泌尿器科《ひにょうきか》）のお医者《いしゃ》さんに診《み》てもらいましょうね。きっとよくなりますよ。

Q9
学校《がっこう》で精液《せいえき》が出《で》たらどうしたらいいの？

A

男《おとこ》の子《こ》の場合《ばあい》は「急《きゅう》に精液《せいえき》が出《で》たら、どうしよう!?」と思《おも》って心配《しんぱい》になる子《こ》もいます。でも大丈夫《だいじょうぶ》です。精液《せいえき》が出《で》てくる（射精《しゃせい》が起《お》こる）のは、自分《じぶん》で性器《せいき》を長《なが》くさわったり、ぐっすり眠《ねむ》っているときです（55ページ）。おしっこがもれちゃうような感《かん》じで、急《きゅう》に射精《しゃせい》をすることはありません。1回《かい》の射精《しゃせい》で出《で》る精液《せいえき》は少《すく》ないので、紙《かみ》ナプキンのようなものも必要《ひつよう》ありません。

Q10

どうしたらスタイルがよくなる？
きれいになれる？

A

モデルやアイドルに憧《あこが》れて、スタイルが気《き》になる子《こ》も多《おお》いかもしれません。成長期《せいちょうき》は、体《からだ》もどんどん変化《へんか》します。大切《たいせつ》なのはよく寝《ね》て、よく動《うご》いて、バランスよく食《た》べること。インターネットで調《しら》べると、いろいろなダイエット情報《じょうほう》が出《で》てきますが、成長期《せいちょうき》のみんなにはあわないものもあります。とくに食《た》べないダイエットは必要《ひつよう》な栄養《えいよう》がとれなくなるので注意《ちゅうい》が必要《ひつよう》です。自分《じぶん》の手作《てづく》りで、おいしいものを研究《けんきゅう》するのも楽《たの》しいと思《おも》いますよ。

生理《せいり》や射精《しゃせい》はなんで起《お》こるの?

新《あたら》しいいのちを作《つく》り出《だ》すように、体《からだ》が働《はたら》き出《だ》した

思春期《ししゅんき》の体《からだ》の変化《へんか》は、赤《あか》ちゃんを作《つく》れるようになる体《からだ》のしくみがあるからです。

「精子《せいし》」と「卵子《らんし》」が出会《であ》うと「受精卵《じゅせいらん》」になります(74〜75ページ)。そして、受精卵《じゅせいらん》が赤《あか》ちゃんになっていきます。

「精子《せいし》と卵子《らんし》」が出会《であ》って赤《あか》ちゃんはできるのです。

精子《せいし》と卵子《らんし》は、赤《あか》ちゃんのもとになるものです。精子《せいし》と卵子《らんし》がくっついて1つの受精卵《じゅせいらん》になり、少《すこ》しずつ、人《ひと》の姿《すがた》へと成長《せいちょう》していきます(76〜77ページ)。

どうやって、精子《せいし》と卵子《らんし》がくっつくの?

精子《せいし》と卵子《らんし》はそれぞれはなれたところにあるので、男性《だんせい》の陰茎《いんけい》(ペニス)を女性《じょせい》の膣《ちつ》(ワギナ)に入れて、膣《ちつ》の奥《おく》にある卵子《らんし》に精子《せいし》を届《とど》けます。膣《ちつ》を通《とお》ってやってきたたくさんの精子《せいし》の1つが卵子《らんし》に入ると、受精卵《じゅせいらん》ができます。

卵子《らんし》の中《なか》に入《はい》れなかった精子《せいし》はどうなっちゃうの?
サヨナラ…
分解《ぶんかい》されてとけてなくなっちゃうんだよ。

こんなふうに、男性《だんせい》と女性《じょせい》の性器《せいき》をぴたっとくっつけることを「性交《せいこう》」または「セックス」といいます。

性交《せいこう》について覚《おぼ》えておいてほしい大切《たいせつ》なこと

性交《せいこう》には3つの意味《いみ》があります。

1つ目《め》は、これまで話《はな》したように「妊娠《にんしん》すること（受精卵《じゅせいらん》ができること）」です。

2つ目《め》は、「大人同士《おとなどうし》の幸《しあわ》せなふれあい（コミュニケーション）」です。性交《せいこう》は大人《おとな》のすることです。子《こ》どもは、心《こころ》も体《からだ》もまだ性交《せいこう》をする準備《じゅんび》ができていません。性交《せいこう》をするかどうかは、大人《おとな》になったときにあなたが決《き》めてくださいね。

3つ目《め》は、暴力《ぼうりょく》です。お互《たが》いに「いいよ」と言《い》っていないのに、体《からだ》を勝手《かって》にさわったり、性交《せいこう》したりすることは大人《おとな》でも子《こ》どもでも暴力《ぼうりょく》です。暴力《ぼうりょく》にならないように、お互《たが》いが「いいよ」と思《おも》っているかどうかを、相手《あいて》に確認《かくにん》します（※）。もし、暴力《ぼうりょく》を受《う》けたことや、暴力《ぼうりょく》を受《う》けたかもしれないという不安《ふあん》があったら、信頼《しんらい》できる大人《おとな》に相談《そうだん》してね（119ページ）。誰《だれ》かに相談《そうだん》するのはとても勇気《ゆうき》がいることです。でも、暴力《ぼうりょく》を受《う》けていい人《ひと》はいないから、相談《そうだん》しても大丈夫《だいじょうぶ》なんですよ。

性交以外《せいこういがい》にも、医療《いりょう》の力《ちから》を借《か》りて受精卵《じゅせいらん》を作《つく》る方法《ほうほう》もあります。

※「いいよ」と思《おも》っているかどうかを確認《かくにん》することを「同意《どうい》」といいます。2024年《ねん》6月現在《がつげんざい》、日本《にほん》の性交同意《せいこうどう》年齢《いねんれい》は16歳《さい》です。

生《う》まれてくる前《まえ》の赤《あか》ちゃんのことを想像《そうぞう》してみよう

お父《とう》さんお母《かあ》さんも、おじいちゃんおばあちゃんも、学校《がっこう》の先生《せんせい》も、昔《むかし》はみんな赤《あか》ちゃんでした。

ここで質問《しつもん》！　赤《あか》ちゃんが生《う》まれてくる前《まえ》の、最初《さいしょ》の最初《さいしょ》は、どんな形《かたち》で、どれくらいの大《おお》きさだったでしょうか？

次《つぎ》のページの【受精卵《じゅせいらん》の大《おお》きさ】を見《み》てみてください。よ〜く見《み》ると、真《ま》ん中《なか》に小《ちい》さな点《てん》がありますね。この小《ちい》さな点《てん》が、受精卵《じゅせいらん》の実際《じっさい》の大《おお》きさです。受精卵《じゅせいらん》は直径約《ちょっけいやく》0・13ミリです。これがいのちのはじまりです。世界中《せかいじゅう》の誰《だれ》もが、最初《さいしょ》はこんな小《ちい》さな点《てん》でした。

どうかな？　想像《そうぞう》していた通《とお》りだったでしょうか？

それともちょっと違《ちが》っていたでしょうか？

体《からだ》の大《おお》きな子《こ》も、小《ちい》さな子《こ》もいると思いますが、はじめは、みんな同《おな》じ大《おお》きさでした。このときから比《くら》べたら、いったい今《いま》のみんなは、何倍《なんばい》くらいの大《おお》きさなんだろうね！

ワーク 11

受精卵《じゅせいらん》って どれくらいの大《おお》きさ？

【受精卵《じゅせいらん》の大《おお》きさ】を参考《さんこう》にしながら、折《お》り紙《がみ》に針《はり》で小《ちい》さく穴《あな》を開《あ》けてみましょう。
見逃《みのが》してしまうくらいの小《ちい》ささですが、
明《あか》るいほうに向《む》けると、穴《あな》が見《み》えます。
注意《ちゅうい》：針《はり》でケガをしないように気《き》をつけてください。

受精卵《じゅせいらん》の大《おお》きさ

どんなことがわかりましたか？　どんなことを考《かんが》えましたか？
まわりの人《ひと》にも聞《き》いてみましょう。

自分

まわりの人

おなかの中《なか》の赤《あか》ちゃんの成長《せいちょう》

いのちのはじまり（受精卵《じゅせいらん》）が、どんなふうに成長《せいちょう》して「人《ひと》」になっていくのか、見《み》ていきましょう。受精卵《じゅせいらん》は、赤《あか》ちゃんが育《そだ》つ部屋《へや》（子宮《しきゅう》）にやってきます。そして、子宮《しきゅう》の中《なか》で約《やく》280日《にち》かけて成長《せいちょう》していきます。

1

妊娠《にんしん》２か月《げつ》（４～７週《しゅう》）
約《やく》２～３センチ
約《やく》４グラム

心臓《しんぞう》、脳《のう》、神経《しんけい》などができてくる。心臓《しんぞう》が動《うご》き出《だ》す。

2

妊娠《にんしん》３か月《げつ》（８～11週《しゅう》）
約《やく》７～９センチ
約《やく》20グラム

手足《てあし》や内臓《ないぞう》が発達《はったつ》してくる。

3

妊娠《にんしん》４か月《げつ》（12～15週《しゅう》）
約《やく》15～18センチ
約《やく》120グラム

性器《せいき》に男女《だんじょ》の違《ちが》いができはじめる。手足《てあし》が動《うご》きはじめる。

4

妊娠《にんしん》５か月《げつ》（16～19週《しゅう》）
約《やく》25センチ
約《やく》250～350グラム

手足《てあし》を動《うご》かしたり髪《かみ》も爪《つめ》もできてくる。

5

妊娠《にんしん》６か月《げつ》（20～23週《しゅう》）
約《やく》30センチ
約《やく》600～750グラム

耳《みみ》が聞《き》こえはじめ、まぶたができ、まつげなどもはえてくる。

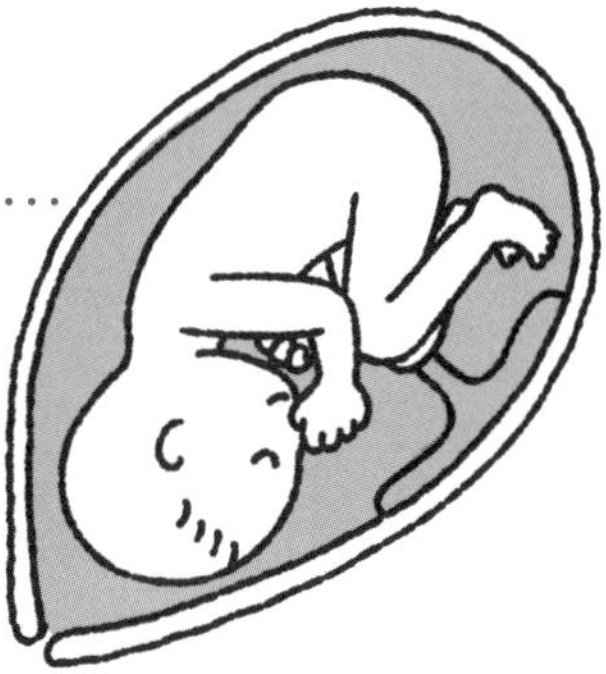

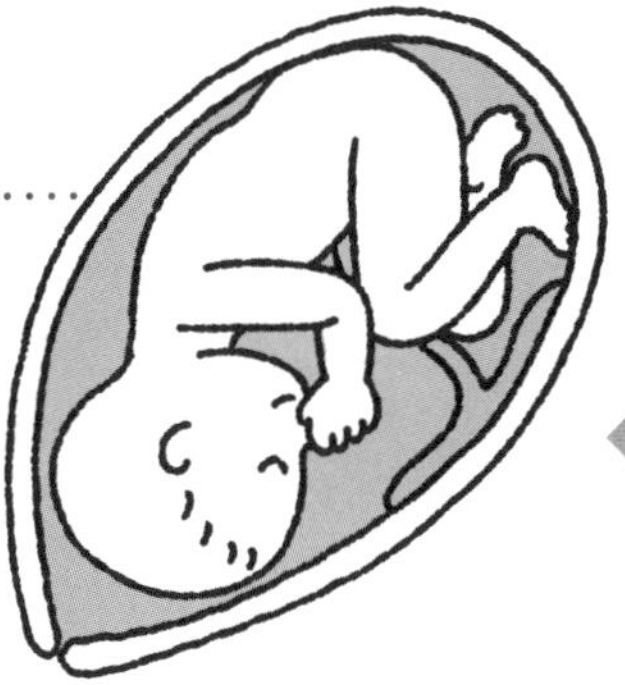

6

妊娠《にんしん》7か月《げつ》（24〜27週《しゅう》）

約《やく》35センチ

約《やく》1000〜1300グラム

肺呼吸《はいこきゅう》の準備《じゅんび》が少《すこ》しずつはじまってくる。

7

妊娠《にんしん》8か月《げつ》（28〜31週《しゅう》）

約《やく》40センチ

約《やく》1500〜1800グラム

赤《あか》ちゃんが大《おお》きくなり、子宮《しきゅう》の中《なか》がきゅうくつになる。

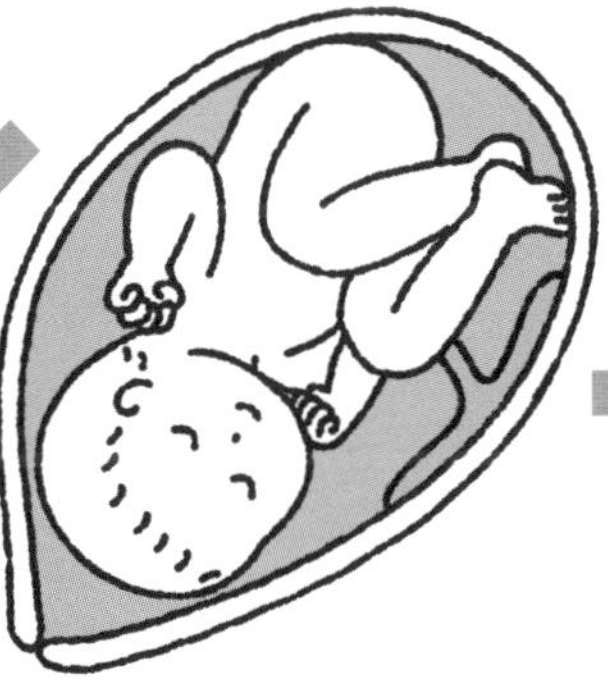

8

妊娠《にんしん》9か月《げつ》（32〜35週《しゅう》）

約《やく》45センチ

約《やく》2000〜2300グラム

体《からだ》が丸《まる》みをおびてくる。

9

妊娠《にんしん》10か月《げつ》（36〜39週《しゅう》）

約《やく》50センチ

約《やく》3000グラム

おなかの中《なか》から出《で》てきても安心《あんしん》なくらい、体《からだ》の内側《うちがわ》も外側《そとがわ》もしっかりと成長《せいちょう》している状態《じょうたい》。

逆子《さかご》

赤《あか》ちゃんは頭《あたま》が下《した》になっていることが多《おお》いのですが、中《なか》にはこんなふうに、頭《あたま》が上向《うわむ》きの赤《あか》ちゃんもいます。

赤《あか》ちゃんはどのように生《う》まれてくるの？

その1　経膣分娩《けいちつぶんべん》〈※〉

子宮《しきゅう》で育《そだ》った赤《あか》ちゃんが、膣《ちつ》を通《とお》って生《う》まれてくることを、経膣分娩《けいちつぶんべん》といいます。膣《ちつ》は赤《あか》ちゃんが産《う》まれてくる道《みち》で、「産《う》まれる道《みち》」と書《か》いて、「産道《さんどう》」ともいいます。

赤《あか》ちゃんが産道《さんどう》を通《とお》って子宮《しきゅう》から出《で》てくるときに、お母《かあ》さんはおなかや腰《こし》などに痛《いた》みを感《かん》じることがあります。そんなときは、四《よ》つんばいになったり、横《よこ》になったり、いろんな姿勢《しせい》を取《と》ってみます。また、そばにいる助産師《じょさんし》さんや家族《かぞく》がマッサージして、体《からだ》が楽《らく》になるようにリラックスさせてくれることもあります。

赤《あか》ちゃんが生《う》まれるときは、そばに助産師《じょさんし》さんやお医《い》者《しゃ》さんがいてサポートしてくれるから安心《あんしん》してください。

※出産《しゅっさん》のことを「分娩《ぶんべん》」といいます。

その2　帝王切開《ていおうせっかい》

帝王切開《ていおうせっかい》は、手術《しゅじゅつ》で赤《あか》ちゃんが生《う》まれてくる方法《ほうほう》です。お母《かあ》さんの体調《たいちょう》や赤《あか》ちゃんのそのときの様子《ようす》によっては、手術《しゅじゅつ》で産《う》む方法《ほうほう》になることもあります。帝王切開《ていおうせっかい》の場合《ばあい》も、お医者《いしゃ》さん、助産師《じょさんし》さん、看護師《かんごし》さんなどのたくさんの人《ひと》がサポートしてくれるから、安心《あんしん》してください。

赤《あか》ちゃんが生《う》まれる場所《ばしょ》は、病院《びょういん》やクリニック、助産院《じょさんいん》、自宅《じたく》などが多《おお》いです。
帝王切開《ていおうせっかい》のときは、病院《びょういん》やクリニックになりますね。

お守り本棚

『13歳までに伝えたい 女の子の心と体のこと』
『13歳までに伝えたい 男の子の心と体のこと』

（やまがたてるえ・著、かんき出版）

小学生《しょうがくせい》の主人公《しゅじんこう》とハピウサというウサギのキャラが登場《とうじょう》するマンガで、10歳《さい》前後《ぜんご》の心《こころ》と体《からだ》の変化《へんか》を楽《たの》しく学《まな》べます。男女《だんじょ》がお互《たが》いをよく知《し》るためにも、両方《りょうほう》読《よ》むのがおすすめ。この本《ほん》を書《か》いた助産《じょさん》師《し》・てるえさんの本《ほん》です。

『あっ！ そうなんだ！ 性と生』

（浅井春夫 他・編、勝部真規子・絵、エイデル研究所）

「赤《あか》ちゃんはどうやってできるの？」という質問《しつもん》にていねいに答《こた》えてくれる絵本《えほん》。「いのちはどこにあるの？」「人《ひと》が死《し》ぬってどういうこと？」など、人《ひと》の誕生《たんじょう》から死《し》までを、親子《おやこ》で話《はな》したり考《かんが》えたりするきっかけにもなります。

『読んでみない？ からだのこと。』

（明橋大二・監修、高橋書店）

子《こ》どもたちの日常《にちじょう》がよくわかるマンガで、体《からだ》や心《こころ》の変化《へんか》、その悩《なや》みに、子育《こそだ》てカウンセラーやお医者《いしゃ》さんとしても活躍《かつやく》する明橋先生《あけはしせんせい》がしっかりと答《こた》えてくれます。周囲《しゅうい》の大人《おとな》に聞《き》くのがちょっとはずかしいときには、まずはこの本《ほん》を開《ひら》いてみてください。

第《だい》2章《しょう》

自分《じぶん》の気持《きも》ちも相手《あいて》の気持《きも》ちも大切《たいせつ》にする

心《こころ》の話《はなし》

心《こころ》はどこにあるの？

心《こころ》って気持《きも》ちのことだよね？

じゃあ、胃《い》や腸《ちょう》みたいなものじゃないんだ。

感《かん》じるけれど、形《かたち》のないもの……それが心《こころ》かな？

プイ
はなちゃん、一緒《いっしょ》に帰《かえ》ろう！
あれ？ 聞《き》こえなかったのかな？
急《いそ》いでいたのかな？ それとも、私《わたし》のことをさけたのかな？
この前《まえ》「遊《あそ》ぼう」って言《い》われたときに、用事《ようじ》があって遊《あそ》べなかったのがいやだったのかもしれない…
ただいまー
お母《かあ》さん、今日《きょう》ね、はなちゃんに「帰《かえ》ろう」って言《い》ったんだけど、なんにも言《い》わずに行《い》っちゃったんだ
声《こえ》をかけたのに行《い》っちゃったの？
ズーン
うん。嫌《きら》われたのかな……
そっか。でも「嫌《きら》い」って、はなちゃんに言《い》われた？

ううん
言《い》われてない
行《い》っちゃったけど、あんちゃんのことを「嫌《きら》い」って言《い》ったわけじゃないのね
明日《あした》また声《こえ》をかけてみたらどうかな? 何《なに》か理由《りゆう》があったのかもしれないよ?
うん…
はなちゃん おはよう
あ
あんちゃん、おはよう。聞《き》いて! うちの猫《ねこ》に赤《あか》ちゃんが生《う》まれたの。早《はや》く見《み》たくて昨日《きのう》は急《いそ》いで帰《かえ》っちゃった。声《こえ》もかけずにごめんね
そうなんだ!
急《いそ》いでいただけなんだ 聞《き》こえてなかったんだ
今度《こんど》遊《あそ》びにきて。猫《ねこ》の赤《あか》ちゃんを見《み》せたいから
かわいいの〜
うん! 今日《きょう》は一緒《いっしょ》に帰《かえ》れる?
ホッ
もちろん!

感《かん》じ方《かた》は人《ひと》それぞれ

あんちゃんとはなちゃんの出来事《できごと》を読《よ》んで、どう感《かん》じたでしょうか。

あんちゃんは、自分《じぶん》がはなちゃんに嫌《きら》われたり、さけられたりしたと思《おも》い、落《お》ちこんでいました。でも、どうやら、そうではなかったようですね。

実際《じっさい》は、あんちゃんが「帰《かえ》ろう」と誘《さそ》った声《こえ》が、はなちゃんには聞《き》こえていませんでした。猫《ねこ》の赤《あか》ちゃんを見《み》たくて、はなちゃんは急《いそ》いでいただけなのです。

マンガの１コマ目《め》を見《み》てください。自分《じぶん》があんちゃんだったとしたら、どう思《おも》うでしょうか？

そのときの心《こころ》の感《かん》じ方《かた》の例《れい》をいくつか紹介《しょうかい》します。

例１：「ひどい、無視《むし》するなんて」と、イラッとする。
例２：「あれれ、行《い》っちゃった。嫌《きら》われたのかも？」と、不安《ふあん》になる。
例３：「きっと、聞《き》こえなかったんだ。ま、いっか」と、気《き》にしない。

例4：「あーあ、行《い》っちゃった。あとでおうちをたずねてみようっと」と、気《き》持《も》ちを切《き》りかえる。

自分《じぶん》の思《おも》いこみで、悪《わる》いほうに考《かんが》えてしまったり、心配《しんぱい》しすぎてしまったり、不安《ふあん》になってしまうことは、よくあります。

でも、あとからじっくり考《かんが》えたり、確認《かくにん》したりすれば、「間違《まちが》いだった！」「勘違《かんちが》いだった！」と気《き》づくこともよくあります。

不安《ふあん》になったときは、あんちゃんのように、おうちの人《ひと》や信頼《しんらい》できる大人《おとな》に話《はな》してみましょう。

そうすると、少《すこ》し落《お》ちついて「何《なに》が起《お》こったか」を確認《かくにん》することができます。

困《こま》ったときは不安《ふあん》な気持《きも》ちをノートに書《か》いてみることもおすすめです。

いろんな気持《きも》ちがある

「心《こころ》」に形《かたち》はありません。心《こころ》は「気持《きも》ち」ともいえます。
手《て》に取《と》ったり、目《め》で見《み》ることはできないけれど、
そのときに感《かん》じた自然《しぜん》な気持《きも》ちを、ありのまま見《み》つめてみましょう。

うれしい
楽《たの》しい
幸《しあわ》せ
うきうき
ワクワク
ほっとする

こういう気持《きも》ちを、
ポジティブ（前向《まえむ》き）な気持《きも》ちと表現《ひょうげん》することもあります。

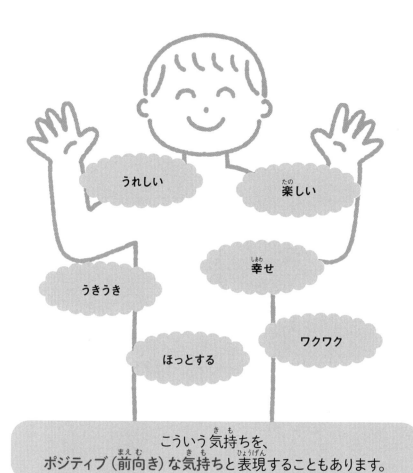

楽《たの》しいことやうれしいことがあると、ポジティブな気持《きも》ちになることがあります。
つらいことや悲《かな》しいことがあると、ネガティブな気持《きも》ちになることがあります。
どちらの気持《きも》ちも「いい」「悪《わる》い」ということはありません。
どんな気持《きも》ちになっても大丈夫《だいじょうぶ》。

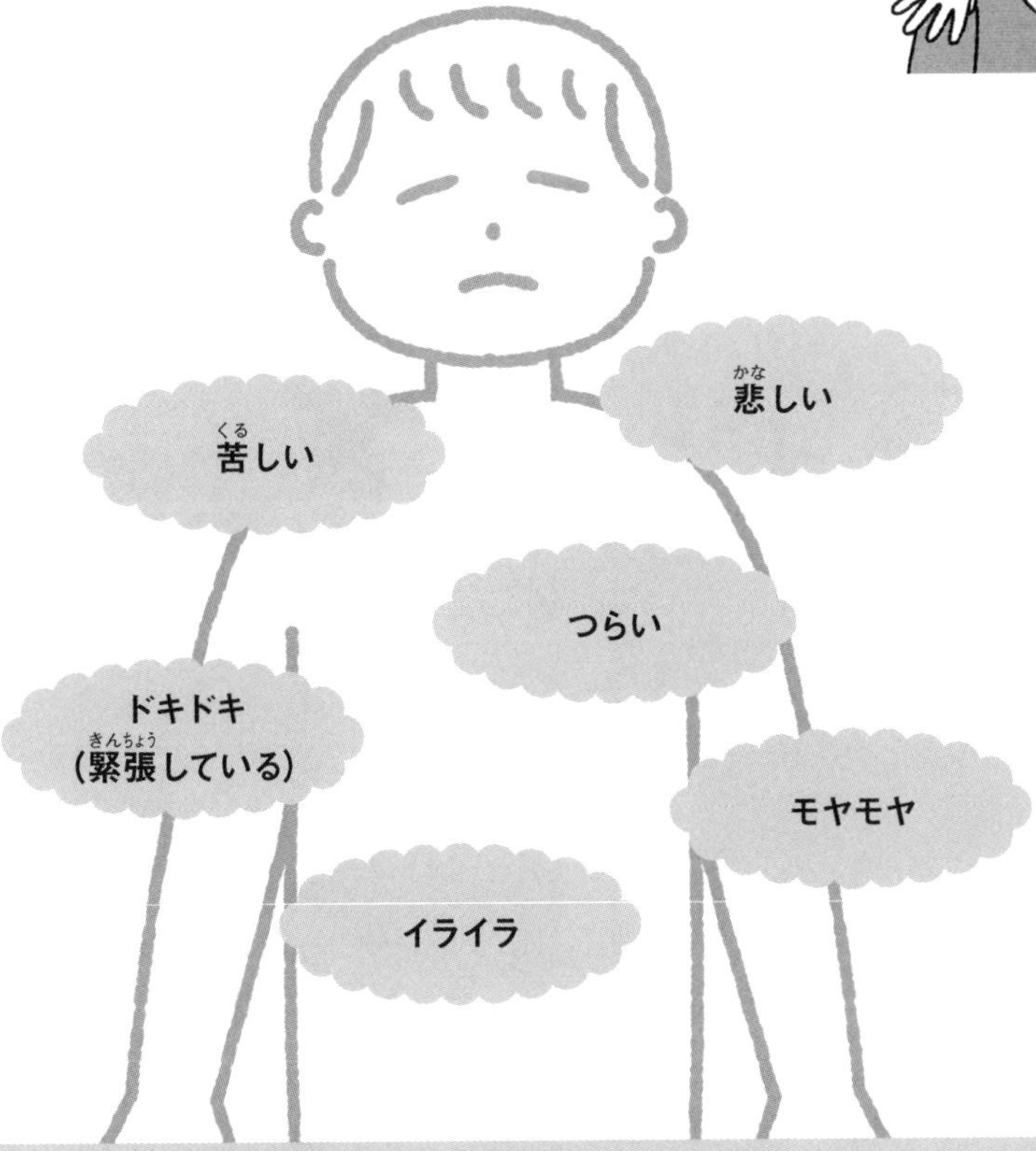

こういう気持《きも》ちを、
ネガティブ（後《うし》ろ向《む》き）な気持《きも》ちと表現《ひょうげん》することもあります。

「モヤモヤ」「イライラ」「苦《くる》しい」を、出《だ》せないとき

① ある日、学校《がっこう》で…

友《とも》だちが
からかってきたの。
ノロいなあ
ノロわんだなーっ
みんなは
大《おお》ウケして
笑《わら》ってた。
ハハ
ノロわんがんばれ〜
みんなにあわせて
笑《わら》ったけど、
本当《ほんとう》はとっても
いやだった。

② その翌日《よくじつ》、また学校《がっこう》で…

友《とも》だちがまた、
からかってきたの。
ノロ♫
ノロ♫
みんなは
大《おお》ウケして
笑《わら》ってた。
ノロ
ノロ〜
みんなにあわせて
また笑《わら》ったけど、
本当《ほんとう》はとっても
いやだった。

クラスで、学校《がっこう》で、友《とも》だちやきょうだいと遊《あそ》んでいるとき、同《おな》じような場面《ばめん》にいたことはありませんか？　また、自分《じぶん》がワンちゃんのような立場《たちば》になったことはありませんか？

①でワンちゃんが「いやな気持《きも》ち」になったとき、ワンちゃんは一瞬《いっしゅん》、次《つぎ》の(A)～(B)のようなことを考《かんが》えていました。でも、ワンちゃんの「心《こころ》の中《なか》の声《こえ》」が、それをさせませんでした。

(A)**「うるさい！」と言《い》って、からかった友《とも》だちをどんと突《つ》き飛《と》ばしちゃおう。**

(心《こころ》の中《なか》の声《こえ》)「でも、そんなことしたら、あとで怒《おこ》られちゃうからやめとこ」

(B)**「えーん」って泣《な》き出《だ》しちゃおう。**

(心《こころ》の中《なか》の声《こえ》)「でも、みんなの前《まえ》で泣《な》くなんて、はずかしいからやめとこ」

そして、ワンちゃんはしかたなく、(C)を選《えら》んだのです。

(C)**「へへへ」って笑《わら》ってごまかしちゃおう。**

(心《こころ》の中《なか》の声《こえ》)「みんなに嫌《きら》われないためには、これしかないよ」

(A)

(B)

(C)

ワンちゃんの心《こころ》の中《なか》では、

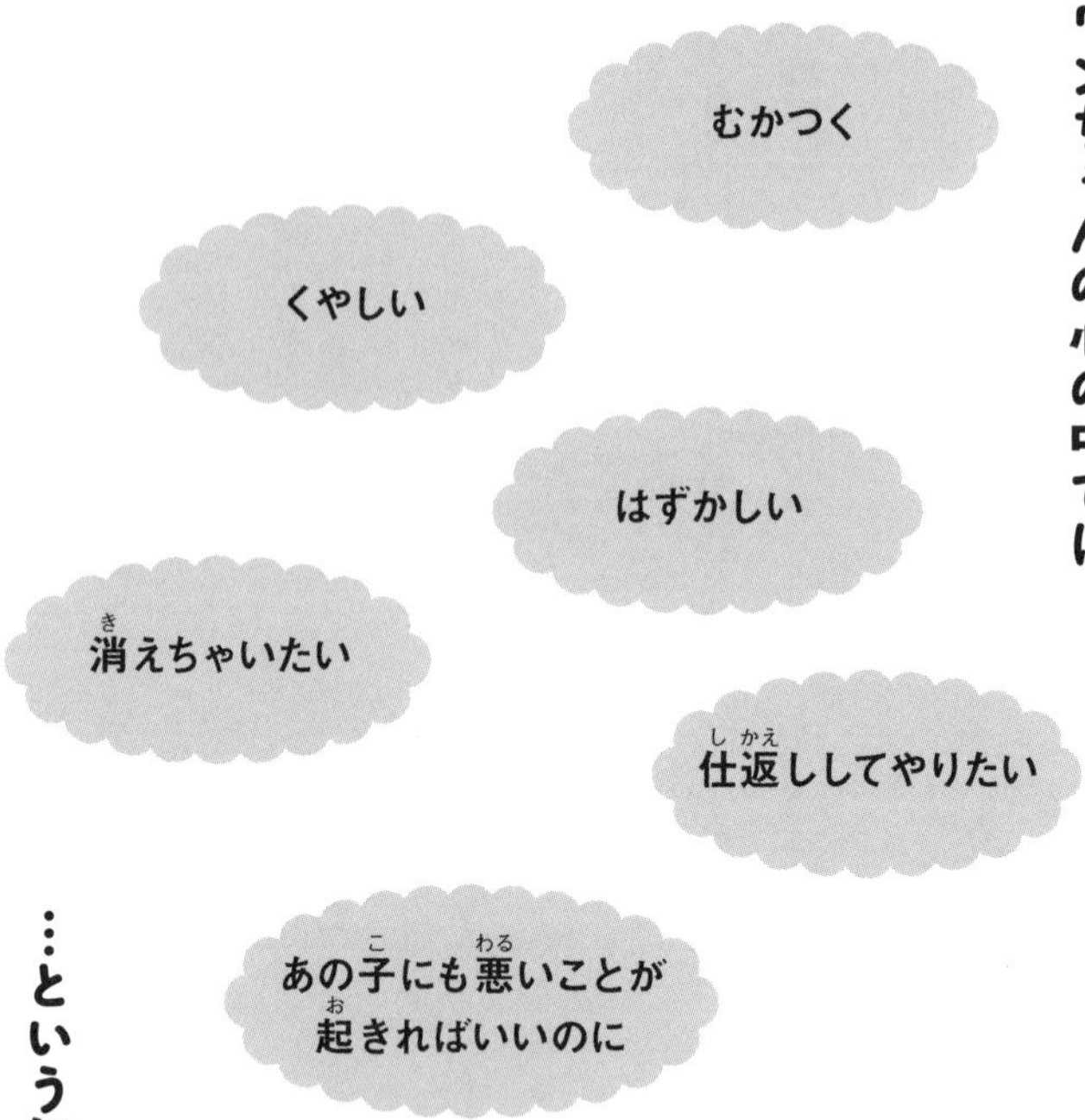
むかつく
くやしい
はずかしい
消《き》えちゃいたい
仕返《しかえ》ししてやりたい
あの子《こ》にも悪《わる》いことが
起《お》きればいいのに

…という気持《きも》ちが、
むくむく湧《わ》き起《お》こっていました。

でも同時《どうじ》に、

そんなこと、
思《おも》っちゃいけない

そんなことを思《おも》う
自分《じぶん》はダメだ

こんなこと思《おも》っているのが
ばれたら、「ひどい」
「最低《さいてい》」って思《おも》われちゃう

友《とも》だちいなくなっちゃう

…とも思《おも》っていました。

「モヤモヤ」「イライラ」「苦《くる》しい」は、伝《つた》えにくいことがある

よく、「困《こま》ったことがあったら大人《おとな》に相談《そうだん》しよう」と言《い》われます。あなたのことを大切《たいせつ》に思《おも》っている大人《おとな》なら、きっとあなたの話《はなし》を聞《き》いてくれようとするはずですね。

でも、話《はなし》を聞《き》いてくれたのはいいけれど、次《つぎ》のような反応《はんのう》が返《かえ》ってくることもあります。

①
そんな子《こ》、無視《むし》したらいいんだ
そんなことでクヨクヨしないの、弱虫《よわむし》だな
逆《ぎゃく》に自分《じぶん》が注意《ちゅうい》されるはめになっちゃった……

②
もう、そんなこと忘《わす》れなさい。あなたは笑《わら》ってるほうがすてきよ
すてきかどうかなんて、今《いま》は関係《かんけい》ないよ。ごまかされてる気《き》がする……

③
あなたもその子《こ》にいやなことしているから、やり返《かえ》してきたのかもよ！　何《なに》か悪《わる》いことしたんじゃない？よく思《おも》い出《だ》しなさい！
え、自分《じぶん》がお説教《せっきょう》されちゃうの？

④
うちのかわいい子《こ》になんてひどいことを……見《み》てなさい！　その子《こ》、こらしめてやる！
いや、仕返《しかえ》ししてほしいって言《い》ってるんじゃないのに大《おお》げさにしないで！

自分《じぶん》の「モヤモヤ」「イライラ」「苦《くる》しい」がうまく伝《つた》わらなくて、①〜④のように言《い》われるくらいなら、

「やっぱり、自分《じぶん》さえがまんしたらいいんだ」

「早《はや》く忘《わす》れちゃおう。もう考《かんが》えないようにしよう」

「こんなこと思《おも》う自分《じぶん》がおかしいんだ」

「きっとこの気持《きも》ち、誰《だれ》にもわかってもらえない」

と思《おも》うほうがいい、となってしまうのですね。

ワンちゃんが、

「やっぱり、自分《じぶん》さえがまんしたらいいんだ」

「早《はや》く忘《わす》れちゃおう。もう考《かんが》えないようにしよう」

「こんなこと思《おも》う自分《じぶん》がおかしいんだ」

「きっとこの気持《きも》ち、誰《だれ》にもわかってもらえない」


そんなふうに思《おも》うのは、あたりまえのことです。

「モヤモヤ」「イライラ」「苦《くる》しい」という気持《きも》ちをわかってもらえないのは、残念《ざんねん》で、悲《かな》しい気持《きも》ちになるものだからです。


もしワンちゃんが誰《だれ》かに相談《そうだん》したときに次《つぎ》のように言《い》ってもらえたら、きっと気持《きも》ちが少《すこ》し落《お》ちついたと思《おも》います。


「話《はな》してくれてありがとう」

「言《い》うのに勇気《ゆうき》がいったよね」

「あなたは悪《わる》くないよ」

「自分《じぶん》が思《おも》ってはいけないことなんて、ないよ」

「何《なに》を感《かん》じても、いいはずだよ」

「**大丈夫**《だいじょうぶ》**だよ。しんどかったね**」

これらの言葉《ことば》は、相手《あいて》のこと、相手《あいて》が感《かん》じたことを、ありのまま受《う》けとめています。相手《あいて》がほっと安心《あんしん》できる言葉《ことば》なんです。

この「モヤモヤ」「イライラ」「苦《くる》しい」という気持《きも》ちをどうすればいいか、もう少《すこ》し見《み》ていきましょう。

ほんの遊《あそ》びのつもりでも……

オレだって、こちょこちょいやだ
ちょっとふざけただけよー。冗談《じょうだん》もわかんないのー!?
まぁまぁ2人《ふたり》とも…
そうかそうか
しんちゃんは遊《あそ》びのつもり。でも、あんちゃんは「いや」って思《おも》ったのね?
そうです
あんちゃんは、ちょっとふざけただけ。でも、しんちゃんは「いや」って思《おも》ったのね?
そうです
よくあることだからよく考《かんが》えよう。いい方法《ほうほう》があるよ
どういうこと??

安心《あんしん》して遊《あそ》ぶルール

こんなはずじゃなかったのに……というようなトラブルやケンカは、よくあります。いったいどうしたらいいのでしょうか。

みんなで楽《たの》しく、安心《あんしん》して暮《く》らせるルールがあるので教《おし》えましょう。それは、「相手《あいて》に聞《き》くこと」です。

こちょこちょされたり、ドーンと押《お》されたりして、楽《たの》しいときもあれば、楽《たの》しくないときもあります。そうする前《まえ》に「こちょこちょするよ」「ドーンってするよ」と相手《あいて》に伝《つた》えてみましょう。

「やめて！」と言《い》われたら、やめます。

「えー……」とはっきりしない返事《へんじ》のときも、やめます。

「いいよ！」と言《い》われたら、OK《オーケー》です。

これをみんなのルールにしたら、急《きゅう》に乱暴《らんぼう》なことをされることもなくなるし、自分《じぶん》が知《し》らないうちに相手《あいて》を傷《きず》つけてしまうこともなくなるでしょう。

自分《じぶん》と相手《あいて》は違《ちが》う考《かんが》えや思《おも》いを持《も》っています。だからこそ、「自分《じぶん》と同《おな》じ気《き》持《も》ちかどうかを相手《あいて》に確認《かくにん》すること」が大切《たいせつ》です。それを「同意《どうい》を取《と》る」といいます。

自分《じぶん》の気持《きも》ちを言葉《ことば》で伝《つた》えよう

「人の気持《きも》ちは聞《き》かないとわからない」ということは、あなたの気持《きも》ちも「言《い》わないと伝《つた》わらない」ということ。

まずはあなたから「いやだな」「やめてほしいな」「困《こま》ったな」と感《かん》じることがあったら、勇気《ゆうき》を出《だ》して「いやだ」「やめて」を相手《あいて》に伝《つた》えてみましょう。

「いやだ」「やめて」と、相手《あいて》に伝《つた》えても、その気持《きも》ちを無視《むし》されたり大切《たいせつ》にしてもらえないと、悲《かな》しいし、くやしいし、お互《たが》いにいやな気持《きも》ちになり、ケンカになってしまいます。

「相手《あいて》に聞《き》くこと」と「相手《あいて》の気持《きも》ちを大切《たいせつ》にすること」は、セットで大切《たいせつ》です。

中《なか》には、「嫌《きら》われたくないから言《い》いたくない」「言《い》って気《き》まずくなるなら、がまんすればいいや」と感《かん》じる人《ひと》もいるでしょうね。

「いや」と言《い》うのは、「嫌《きら》い」という意味《いみ》ではありませんから、「〇〇ちゃんのことは好《す》きだよ。友《とも》だちだから。でも、ふざけすぎるのはいやだから、それはやめてほしいな」、こんなふうに伝《つた》えてみてはどうでしょうか。

いやなものは、いや！

寝《ね》るねー
おやすみ！

あん、おやすみのハグだ！

うわー、いや！

あれ、前《まえ》までは、いやがってなかったのに…なんで!?

いやなものはいやなのー「ベー」だ！小《ちい》さな頃《ころ》はなんとも思《おも》わなかったけど最近《さいきん》とってもいやなんだもん！

う…なんでいやなんだ？

いやなことに理由《りゆう》なんていらないわ。いやなものはいやなのよ

境界線《きょうかいせん》は、自分《じぶん》の気持《きも》ちを知《し》るヒント

あんちゃんのママの言葉《ことば》を聞《き》いて、どう思《おも》いましたか？

「いやなことに理由《りゆう》なんていらない」、まさにその通《とお》りです。

あんちゃんがパパのことを「いやだ！」と感《かん》じたのは、パパがあんちゃんの境界線《きょうかいせん》（「いいよ」と「いや」を分《わ》ける線《せん》）を超《こ》えてきたからです。

「いいよ」は、「心地《ここち》いい」「安心《あんしん》できる」「安全《あんぜん》な」状態《じょうたい》です。

「いや」は、「不安《ふあん》」「こわい」「悲《かな》しい」「イライラな」状態《じょうたい》です。

目《め》には見《み》えませんが、「境界線《きょうかいせん》」というものは誰《だれ》もが持《も》っています。「あなたを守《まも》ってくれるもの」と言《い》ったほうがイメージしやすいかな？

あんちゃんは、パパのことが嫌《きら》いではありません。たとえば、一緒《いっしょ》にバドミントンをしたり、ソファに座《すわ》ってテレビを見《み》たり、ごはんを食《た》べたりすることは大丈夫《だいじょうぶ》。でも、たとえパパのことが好《す》きでも、「いやだな」と感《かん》じてしまうこともあるのです。マンガにもあったように、ハグするなどです。

思春期《ししゅんき》になると、この「いいよ」と「いや」を分《わ》ける境界線《きょうかいせん》が変《か》わってきます（150ページ）。それも自然《しぜん》なことなのです。

他《ほか》にも、こんなことはどうでしょうか？

顔《かお》が近《ちか》すぎる友《とも》だち

よく知《し》らない人《ひと》に頭《あたま》をなでられる

「こわい」って言《い》ってるのに、
ブランコを押《お》してくる

友《とも》だちが急《きゅう》に帽子《ぼうし》を取《と》って、
勝手《かって》にかぶった

「いいよ」や「いや」は、状況《じょうきょう》や日《ひ》によって変《か》わることもあります。昨日《きのう》は「いいよ（OK《オーケー》）」だったけれど、なんだか今日《きょう》は「いやだ（ダメ）」、ということもあります。

たとえば、「ケーキ買《か》ってきたよ、食《た》べよう」と言《い》われたとき。

おなかがすいていたり、甘《あま》い物《もの》が大好《だいす》きなら、「うれしい！」「ありがとう！」となりますね。

でも、もしそのときおなかがいっぱいだったり、なんとなく甘《あま》い物《もの》を食《た》べる気分《きぶん》じゃなかったり、体調《たいちょう》がよくなかったりしたら、「今《いま》はいらないや、ごめんね」となるかもしれません。

ケーキを食《た》べるか食《た》べないかは、自分《じぶん》が決《き》めていいことです。

こんなふうに、時《とき》と場合《ばあい》によって、「いいよ」と「いや」が変《か》わることがあってもいいんです。


境界線《きょうかいせん》は目《め》に見《み》えないから気《き》づきにくいのです。

でも、子《こ》どもも大人《おとな》も、みんな自分《じぶん》の境界線《きょうかいせん》を持《も》っていることを、まずは知《し》っておきましょう。

そして、大切《たいせつ》な境界線《きょうかいせん》を無視《むし》されたときに、「こわい」「悲《かな》しい」「くやしい」「モヤモヤ」「イライラ」などの「いやな気持《きも》ち」が湧《わ》き起《お》こってきます。この気持《きも》ちは、「何《なに》かいやなことが起《お》こっています」「心《こころ》と体《からだ》が『助《たす》けて』って言《い》っています」と、あなたに知《し》らせるサインです。

このサインを知《し》っていれば、自分《じぶん》を守《まも》るためのヒントになります。

「私《わたし》は私《わたし》」「あなたはあなた」という、自分《じぶん》の心《こころ》と体《からだ》を守《まも》るための境界線《きょうかいせん》は、あなたのまわりの人《ひと》を守《まも》るためのヒントでもあります。

※境界線《きょうかいせん》のくわしい説明《せつめい》は149～150ページ。

パパのことが嫌《きら》いになったのかと思《おも》ったけど、そうじゃないんだよね。

自分《じぶん》でもよくわからなくて、イライラしちゃった。

私《わたし》の大切《たいせつ》な境界線《きょうかいせん》かぁ。大切《たいせつ》にしたいし、まわりの人《ひと》にも大切《たいせつ》にしてほしいな。

境界線《きょうかいせん》って言葉《ことば》を知《し》ると、自分《じぶん》の気持《きも》ちを大切《たいせつ》にして、相手《あいて》にわかりやすく伝《つた》えられそうね。

そうしたらケンカも減《へ》るかもね。

ワーク 12

あなたが大切《たいせつ》にしたい境界線《きょうかいせん》、大切《たいせつ》にしてほしい境界線《きょうかいせん》は？

例

- 本《ほん》を読《よ》んでいるときは、１人《ひとり》で読《よ》ませてほしい。
- お風呂《ふろ》は１人《ひとり》で入《はい》りたい。
- 大切《たいせつ》な人形《にんぎょう》は妹《いもうと》にも貸《か》したくないの。
- 部屋《へや》に入《はい》ってくるときはノックをしてほしい。
- 日記《にっき》を絶対《ぜったい》に読《よ》まないでほしい。

自分はどう考えたかな？

まわりの人にも聞いてみよう

88ページのマンガを振《ふ》り返《かえ》って、お互《たが》いを大切《たいせつ》にするためには何《なに》ができるのか、どうしたらよかったのか、考《かんが》えてみましょう。

(A)「うるさい！」と言《い》って、
　からかった友《とも》だちをどんと突《つ》き飛《と》ばしちゃおう。

(心《こころ》の中《なか》の声《こえ》)

「でも、そんなことしたら、あとで怒《おこ》られちゃうからやめとこ」

突《つ》き飛《と》ばすのは、友《とも》だちを傷《きず》つけるし、暴力《ぼうりょく》はダメだよ。

(B)「えーん」って泣《な》き出《だ》しちゃおう。

(心《こころ》の中《なか》の声《こえ》)

「でも、みんなの前《まえ》で泣《な》くなんて、はずかしいからやめとこ」

あ〜あ
ないてる〜
私《わたし》は、そんなことをされたら「悲《かな》しい」って思《おも》ってもいいと思《おも》う。泣《な》いてもはずかしいことじゃないよ。

(C)「へへへ」って笑《わら》ってごまかしちゃおう。

(心《こころ》の中《なか》の声《こえ》)

「みんなに嫌《きら》われないためには、これしかないよ」

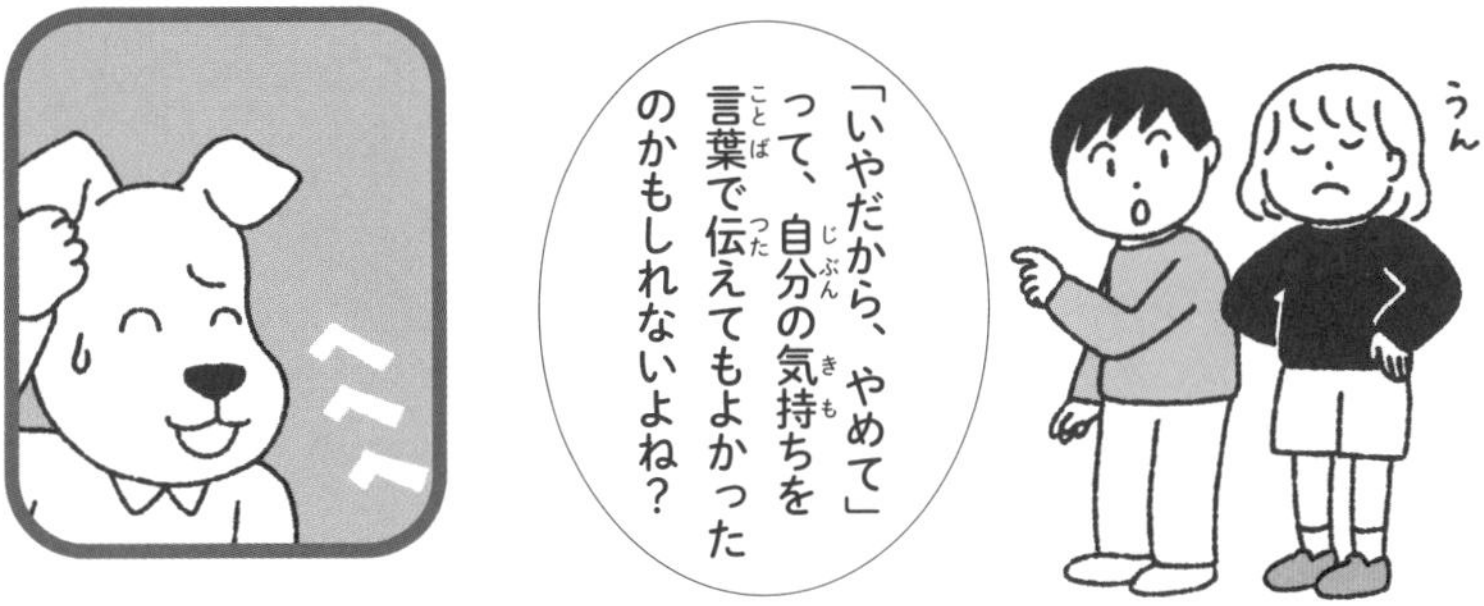
「いやだから、やめて」って、自分《じぶん》の気持《きも》ちを言葉《ことば》で伝《つた》えてもよかったのかもしれないよね？
うん

「いやだ」「いいよ」のジェスチャー

言葉《ことば》で「いやだ」「やめて」が言《い》えない（言《い》いにくい）ときもあります。ふだんあまり使《つか》わない言葉《ことば》は、急《きゅう》には出《で》てこないこともあります。

そんなときにどんどん使《つか》いたいのが、「ジェスチャー」です。ジェスチャーは、手《て》や表情《ひょうじょう》で作《つく》るサインのことです。

指《ゆび》やうでで「ばってん（×）」を作《つく》るのは、とてもわかりやすいサインです。自分《じぶん》の胸《むね》に片手《かたて》を置《お》くと、少《すこ》し安心《あんしん》できます。そうしたら勇気《ゆうき》を持《も》って、もう1つの手《て》、あるいは両手《りょうて》を前《まえ》に出《だ》してみるのもいいでしょう。見《み》えない壁《かべ》を見《み》せるような感《かん》じです。

「いいよ」のときは、うれしい気持《きも》ちを、にっこりした表情《ひょうじょう》や明《あか》るい仕草《しぐさ》で伝《つた》えてみましょう。グーサインをしたり、ガッツポーズをしたり、うでで大《おお》きな丸《まる》を作《つく》ったりするのもいいですね。

ワーク 13

「わからない」ときのジェスチャーは？

自分《じぶん》の気持《きも》ちがわからないときもあります。「いいよ」でもなく「いや」でもないとき、「考《かんが》え中《ちゅう》」というときは、どんなジェスチャーがいいでしょうか？

「いいよ」か「いや」か、決《き》められないときもあるよね。
「どうしようかな？」って迷《まよ》うこと、あるある。
決《き》められないときは「どうしようかな？」でもいいんだよ。
でも、「どうしようかな？」は「いいよ」じゃないから気《き》をつけようね。

「わからない」は「いや」と同《おな》じだね！

「はずかしい」ではなく「大切《たいせつ》なこと」

大人《おとな》は子《こ》どもに「そんなかっこうをしていたら、はずかしいよ」と言《い》いがちです。大切《たいせつ》に思《おも》うからこそ、つい心配《しんぱい》して、ひとこと多《おお》く言《い》ってしまうのですね。

大人《おとな》が「はずかしい」と言《い》うときはたいてい、「そのふるまいはやめてほしいな」「その行動《こうどう》は、ちょっと心配《しんぱい》だな」と思《おも》ったときです。そういうときに、「はずかしい」と声《こえ》をかけていることが多《おお》いんです。

「はずかしい」を「大切《たいせつ》にしてほしい」という言葉《ことば》にすれば、大人《おとな》が心配《しんぱい》する気持《きも》ちが子《こ》どもにももっと伝《つた》わると思《おも》います。


たとえば、下着《したぎ》が見《み》えそうなかっこうをしていたり、お風呂上《ふろあ》がりに裸《はだか》で走《はし》りまわったりしているときなど。

「はずかしいから、やめなさい」のかわりに、

「人前《ひとまえ》で下着《したぎ》を見《み》せないようにするのは、まわりにいる人《ひと》へのマナーだね」

「いつまでも裸《はだか》でいると風邪《かぜ》をひくよ。自分《じぶん》の体《からだ》を大切《たいせつ》にしてね」

こんなふうに伝《つた》えられたら、いいですね。


「はずかしい」と思《おも》う気持《きも》ちは、人《ひと》それぞれ、いろんな場面《ばめん》であるでしょう。

でも、「はずかしい人《ひと》（人間《にんげん》）」は、誰1人《だれひとり》としていません。

大人《おとな》も、そして子《こ》どもも、大切《たいせつ》な自分《じぶん》の体《からだ》を守《まも》ったり、マナーを守《まも》るためにはどうしたらいいかを、自分《じぶん》の頭《あたま》で考《かんが》えていけるようになるといいですね。

自分《じぶん》で自分《じぶん》を手当《てあ》てする方法《ほうほう》がある

気持《きも》ちを楽《らく》にしたり、気分《きぶん》が落《お》ちつく方法《ほうほう》を知《し》っていれば、いつでもどこでも、役立《やくだ》ちます。

たとえば誰《だれ》かと話《はな》しているときに、自分《じぶん》の心《こころ》が傷《きず》つくことがあります。友《とも》だちとケンカをしたり、自分《じぶん》のいないところで悪口《わるぐち》を言《い》われているかもしれないと不安《ふあん》になることもあるでしょう。

そんなときは、いつのまにか心《こころ》がケガをしてしまいます。

そうすると胸《むね》がドキドキしたり、病気《びょうき》じゃないのに少《すこ》しだけおなかが痛《いた》くなったり頭痛《ずつう》がしたり、力《ちから》を抜《ぬ》くことができなかったり……体《からだ》にいろんな症状《しょうじょう》があらわれます。心《こころ》がモヤモヤしたり、気分《きぶん》が晴《は》れなかったり、こわい気持《きも》ちや不安《ふあん》な気持《きも》ちが急《きゅう》にやってきて、怒《おこ》りっぽくなることもあります。

そんなときは、自分《じぶん》で自分《じぶん》の心《こころ》のケア（手当《てあ》て）をしてみましょう。

□自分《じぶん》がほっとすること
□自分《じぶん》が安心《あんしん》すること
□自分《じぶん》が大好《だいす》きなこと

こうしたことをやってみると、モヤモヤやイライラが、すっきりしてきます。いつどこで心《こころ》がケガするかわからないから、自分《じぶん》で自分《じぶん》をケアする方法《ほうほう》を見《み》つけておくのは、ピンチの自分《じぶん》を助《たす》ける大切《たいせつ》な準備《じゅんび》です。

不安《ふあん》なときは、呼吸《こきゅう》やイメージの力《ちから》を借《か》りよう

いつでもどこでもできる、心《こころ》を落《お》ちつかせる方法《ほうほう》があります。それは、呼吸《こきゅう》をしたり、いろんなイメージをふくらませることです。不安《ふあん》がおさまらないときは、次《つぎ》のような呼吸《こきゅう》やイメージを試《ため》してみましょう。

① 大《おお》きな風船《ふうせん》をふくらますように、「ふー」とゆっくり呼吸《こきゅう》する

こわい気持《きも》ち、ドキドキ、ハラハラした気持《きも》ちを吐《は》き出《だ》して、風船《ふうせん》をいっぱいにふくらまし、空《そら》に飛《と》ばす様子《ようす》をイメージします。そして、胸《むね》をトントンします。

② シャボン玉《だま》に気持《きも》ちをのせて、飛《と》ばしてみよう

目《め》を閉《と》じてシャボン玉《だま》を飛《と》ばすように、口《くち》をすぼめてフーと呼吸《こきゅう》してみて。シャボン玉《だま》の中《なか》にモヤモヤした気持《きも》ち、悲《かな》しい気持《きも》ちを吹《ふ》きこんで遠《とお》くに飛《と》ばすのをイメージしてみてね。

③眠《ねむ》る前《まえ》にうれしいことを1つ見《み》つけて、誰《だれ》かに話《はな》す

話《はな》す相手《あいて》がいないなら、自分《じぶん》で想像《そうぞう》するだけでもいいです。これから見《み》る夢《ゆめ》が楽《たの》しくなります。楽《たの》しくてよかった記憶《きおく》が頭《あたま》に残《のこ》るようにもなります。眠《ねむ》る前《まえ》のおまじないみたいなものだね。

④バタフライハグをする

両腕《りょううで》で自分《じぶん》をギュッと抱《だ》きしめるポーズです。そのあと、交互《こうご》に手《て》のひらで二《に》の腕《うで》をトントンとたたきます。心臓《しんぞう》のリズムにあわせてそっとタップすると、少《すこ》しずつ気持《きも》ちが落《お》ちついてきます。あわせて、目《め》をつぶって深呼吸《しんこきゅう》もしてみましょう。体《からだ》も温《あたた》まってきます。

いろいろ試《ため》してみても、すっきりしない……。そんなときは、安心《あんしん》して話《はな》せる大人《おとな》に相談《そうだん》してみましょう（119ページ）。相談《そうだん》する相手《あいて》も1人《ひとり》とは決《き》めず、何人《なんにん》かに声《こえ》をかけてみるのもおすすめです。相談《そうだん》する人《ひと》が多《おお》いほうが、いろんなサポートや手助《てだす》けをしてもらいやすくなります。電話《でんわ》で相談《そうだん》する方法《ほうほう》もありますよ（136〜137ページ）。

自分《じぶん》が楽《たの》しめることをやってみよう！
（心《こころ》の救急箱《きゅうきゅうばこ》のヒント）

♪いやな気持《きも》ちを紙《かみ》に書《か》き出《だ》して、びりびりに破《やぶ》いてみる

♪安心《あんしん》できる人《ひと》にいやな気持《きも》ちを話《はな》してみる
（無理《むり》はしない）

♪ゆっくり呼吸《こきゅう》をしてみる（111ページ）

♪温《あたた》かい飲《の》み物《もの》を飲《の》む（ホットしやすくなるよ。温《あたた》めたミルクもおすすめ！）

♪大好《だいす》きな本《ほん》や動画《どうが》を見《み》る
（この本《ほん》も読《よ》んでくれるとうれしいな）

♪大好《だいす》きな遊《あそ》びをする（好《す》きなことならなんでもいいよ）

♪気分転換《きぶんてんかん》にダンスや体操《たいそう》をしてみる

♪早《はや》く寝《ね》る（眠《ねむ》ると体《からだ》も心《こころ》もすっきりします）

♪お気《き》に入《い》りの毛布《もうふ》にくるまる

♪枕《まくら》に顔《かお》をうずめて、「わーっ」と大声《おおごえ》を出《だ》す

♪大《おお》きな声《こえ》で歌《うた》う

♪ペットやお気《き》に入《い》りのぬいぐるみをなでる

♪散歩《さんぽ》をする

♪図書館《としょかん》に大好《だいす》きな本《ほん》を読《よ》みに行《い》く

どうしても元気《げんき》が出《で》ない…

自分《じぶん》で自分《じぶん》を手当《てあ》てできないときは、どうしたらいい？

右《みぎ》ページのマンガのしんちゃんのように、何《なに》をしても気分《きぶん》がよくならないこともあります。

小《ちい》さな心《こころ》のケガなら、一晩《ひとばん》寝《ね》たら、「まあ、いいや」となるかもしれません。

たとえば、友《とも》だちとケンカしてモヤモヤしていたとしても、翌朝《よくあさ》には「なんであんなにクヨクヨしてたんだろ」とふしぎに思《おも》うくらい元気《げんき》になっていることもあります。学校《がっこう》ではふつうに「おはよう」って言《い》えますね。

中《ちゅう》くらいの心《こころ》のケガなら、誰《だれ》かに話《はなし》を聞《き》いてもらえば落《お》ちつくかもしれません。

たとえば、大切《たいせつ》なペットが死《し》んでしまったとき。友《とも》だちや先生《せんせい》に話《はな》したら、

「悲《かな》しいね」

「大切《たいせつ》な家族《かぞく》だったのに、残念《ざんねん》だったね」

って言《い》ってくれて、それを聞《き》いて少《すこ》しずつ気持《きも》ちが楽《らく》になっていくこともあります。

でも、大《おお》きな心《こころ》のケガは、専門家《せんもんか》の助《たす》けが必要《ひつよう》です。専門家《せんもんか》というのは、お医者《いしゃ》さんやカウンセラー（心《こころ》のケガを治《なお》す専門家《せんもんか》）です。たとえば、とてもこわい目《め》に遭《あ》って、「もう思《おも》い出《だ》したくもない」「考《かんが》えないようにしよう」と思《おも》っていても、ずっと心《こころ》の中《なか》から消《き》えないようなことがあったとします。

もしかしたら、それが原因《げんいん》で心《こころ》のケガがもっと悪《わる》くなることもあるかもしれません。だから、自分《じぶん》の気持《きも》ちに気《き》づくことが大切《たいせつ》なんですね。

心《こころ》を大切《たいせつ》にする質問《しつもん》

「なんかおかしいな？」と感《かん》じたときは、自分《じぶん》で確認《かくにん》してみよう。
心《こころ》がケガをしていると、こんなふうになることが多《おお》いんだって。
当《あ》てはまるところにチェック☑してみましょう。

□ どうせ自分《じぶん》なんてダメだ
□ 人《ひと》のことなんて信用《しんよう》できない
□ 何《なに》をやってもムダ
□ うまくいかないのは、全部《ぜんぶ》自分《じぶん》のせいだ
□ みんなに好《す》かれなくちゃ、自分《じぶん》には価値《かち》がない
□ 誰《だれ》にも自分《じぶん》のことをわかってもらえない
□ 自分《じぶん》なんて、生《い》きていてもしかたがない
□ つらい出来事《できごと》が頭《あたま》に浮《う》かんではなれなくなる

□ よく眠《ねむ》れない、こわい夢《ゆめ》を見《み》る
□ 朝《あさ》、すっきりと起《お》きられない
□ なんとなく、体《からだ》がだるい
□ 息苦《いきぐる》しい、胸《むね》がドキドキする
□ 頭《あたま》やおなかが痛《いた》い
□ 食欲《しょくよく》がない、逆《ぎゃく》に食《た》べすぎてしまう

□ イライラする
□ 落《お》ちこむ
□ 不安《ふあん》、心配《しんぱい》がある
□ 緊張《きんちょう》している
□ こわい、恐怖《きょうふ》
□ ずっとハイテンション
□ 気持《きも》ちを感《かん》じにくい

□ 何《なに》もやる気《き》がしない
□ 集中《しゅうちゅう》できない、落《お》ちつかない、ミスが多《おお》い
□ イライラして、物《もの》や自分《じぶん》や人《ひと》に当《あ》たる
□ つらい出来事《できごと》の話《はなし》はしないようにする
□ 誰《だれ》ともかかわらないようにしたり、ひきこもる
□ 自分《じぶん》のことよりも、
人《ひと》のことばかり考《かんが》えて行動《こうどう》してしまう
□ ウソをついたり、ごまかしたりして、その場《ば》をしのぐ
□ つらい出来事《できごと》を思《おも》い出《だ》す場所《ばしょ》や人《ひと》、話題《わだい》をさける

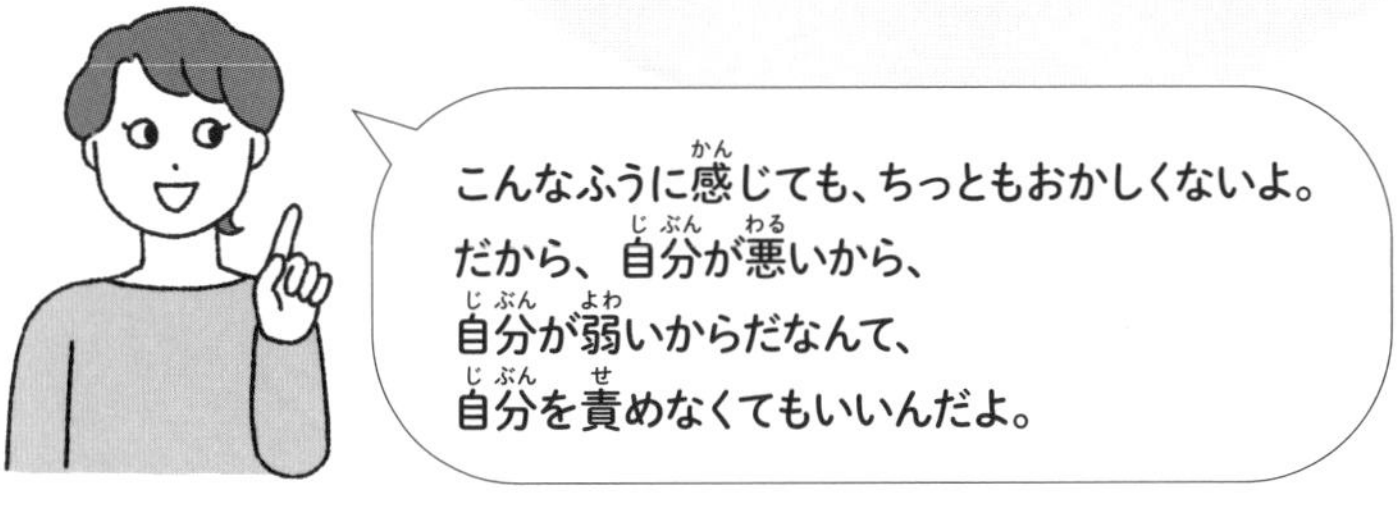
こんなふうに感《かん》じても、ちっともおかしくないよ。
だから、自分《じぶん》が悪《わる》いから、
自分《じぶん》が弱《よわ》いからだなんて、
自分《じぶん》を責《せ》めなくてもいいんだよ。

※リーフレット『やってみよう！ ストレスチェック ～心と体の安心・安全のために～』（子どもの性の健康研究会）を参照の上、作成。

困《こま》ったときは「NO《ノー》」「GO《ゴー》」「TELL《テル》」

「モヤモヤ」「イライラ」「つらい気持《きも》ち」は、心《こころ》のSOS《エスオーエス》（助《たす》けて！）のサインです。また、自分《じぶん》の境界線《きょうかいせん》が危険《きけん》を感《かん》じて反応《はんのう》しているのかもしれません。そんなSOS《エスオーエス》を感《かん》じたら、すぐに次《つぎ》のアクションを起《お》こしましょう。

ステップ1　「NO《ノー》」――「いや」「やめて」と言《い》おう

言《い》えないときは、ジェスチャー（106ページ）で伝《つた》えてもいいでしょう。

「そんなこと言《い》ったら変《へん》かな」「怒《おこ》られるかな」と不安《ふあん》になったり、「『なんで!?理由《りゆう》を言《い》いなさい！』ってどなられたらどうしよう」「機嫌《きげん》が悪《わる》くなったらどうしよう」「無視《むし》されたらいやだな」なんてビクビクしてしまうかもしれません。

「絶対《ぜったい》に人《ひと》に言《い》うなよ」っておどされることもあるかもしれません。

どうしても「いや」と言《い》えないときは、迷《まよ》わず「ステップ2」へ。

ステップ2　「GO《ゴー》」――はなれよう

つらいときは、その場《ば》やその人《ひと》からはなれてもかまいません。はなれるのは自分《じぶん》を守《まも》る方法《ほうほう》の1つです。はずかしいことでもないし、ずるいことでもありません。

はなれられないときは、その次《つぎ》の「ステップ3」へ。

ステップ3　「TELL《テル》」――話《はな》そう（相談《そうだん》しよう）

「困《こま》ったことがあるよ。だから今《いま》、こんな気持《きも》ちなんだ」と誰《だれ》かに話《はな》すことを、「相談《そうだん》する」と言《い》います。

相談《そうだん》は「助《たす》けてください」というメッセージです。気持《きも》ちが楽《らく》になるだけじゃなくて、自分《じぶん》では気《き》づけなかった解決方法《かいけつほうほう》が見《み》つかるかもしれません。

誰《だれ》かに相談《そうだん》できれば、自分《じぶん》の体《からだ》と心《こころ》を守《まも》ることにつながります。言《い》い慣《な》れないとむずかしく感《かん》じるかもしれませんが、「困《こま》っているから、助《たす》けて」と言《い》うことは、大人《おとな》になってからも、とても大切《たいせつ》なことです。自分《じぶん》の体《からだ》も心《こころ》も、自《じ》分《ぶん》で守《まも》っていくものだからね。

TELL!
どうしたの？
こんなことが・・・

大人《おとな》の方《かた》へ
「NO《ノー》」「GO《ゴー》」「TELL《テル》」についてはCAPプログラムでも学《まな》ぶことができます。
https://cap-j.net/program

あなたを大切《たいせつ》にしてくれる人《ひと》って、どんな人《ひと》？

あなたを大切《たいせつ》にしてくれる人《ひと》は、どんな人《ひと》でしょうか？
たとえば、こんな人《ひと》は、あなたのまわりにいますか？

● あなたの言《い》うことを、「うんうん」ってうなずきながら、聞《き》いてくれる人《ひと》。
あいづちを打《う》ってくれる人《ひと》には、話《はなし》がしやすくなります。

● あなたの言《い》うことを、「そうだね」って聞《き》いてくれる人《ひと》。
「それは違《ちが》う！」って怒《おこ》られたら、ちょっと悲《かな》しいですね。

● あなたの話《はなし》をじっと聞《き》いてくれる人《ひと》。
自分《じぶん》のことばっかり話《はな》されたら、あなたは話《はな》せなくなってしまいます。

● あなたの話《はなし》を勝手《かって》に言《い》いふらさない人《ひと》。
あなたの話《はなし》を勝手《かって》に言《い》いふらさない人《ひと》は、信頼《しんらい》できる人《ひと》ともいえます。

「うん」とは
言《い》わないけど
「ワン」とは
言《い》ってくれるよね？

コラム

もしも、学校《がっこう》に行《い》きたくないと思《おも》ったら

「学校《がっこう》に行《い》きたくないな」

「行《い》きたいけど、行《い》きたくない気持《きも》ちのほうが大《おお》きくて、体《からだ》が動《うご》かない」

「おなかが痛《いた》い感《かん》じがする……どうしていいかわからない」


もしもそんな気持《きも》ちになったときは、ゆっくりと深呼吸《しんこきゅう》をしてみましょう。

そして大人《おとな》に「学校《がっこう》に行《い》きたくないんだ」って、話《はな》してみてください。

もしかすると、大人《おとな》は「どうして？」「なんで？」と、どんどん質問《しつもん》してくるかもしれません。

でも、どうして行《い》きたくないのか、自分《じぶん》でもよくわからなかったり、理由《りゆう》がはっきりしないことも多《おお》いものなんです。

理由《りゆう》がはっきりしていない場合《ばあい》、理由《りゆう》がはっきりしている場合《ばあい》、どちらもあります。そのことも知《し》っておきましょう。


もしも、誰《だれ》かにいじめられたり、つらい出来事《できごと》があったときは、そのことを大人《おとな》に相談《そうだん》して、一緒《いっしょ》に考《かんが》えてもらいましょう。

おうちの人《ひと》、学校《がっこう》の先生《せんせい》、習《なら》い事《ごと》の先生《せんせい》、スクールカウンセラー、親《しん》せきの人《ひと》、友《とも》だちのママやパパなど、あなたのまわりには相談《そうだん》できる大人《おとな》が、きっといます。

お守り本棚

『出産を巡る切り絵・しかけ図鑑』

（エレーヌ・ドゥルヴェール・絵、
ジャン=クロード・ドゥルヴェール・文、
弓井茉那・横田宇雄・訳、林聡・監修、化学同人）

美《うつく》しい切《き》り絵《え》としかけで、受精《じゅせい》、妊娠《にんしん》、お母《かあ》さんの体《からだ》の変化《へんか》、赤《あか》ちゃんがどんなふうにまわりを感《かん》じているかなどがわかります。命《いのち》が誕生《たんじょう》するまでの不《ふ》思議《しぎ》や驚《おどろ》きがつまっていて、まるで冒険物語《ぼうけんものがたり》を読《よ》んでいるような気分《きぶん》になる１冊《さつ》です。

『あかちゃんは どこから くるの？』

（田代美江子・監修、せべまさゆき・絵、
WILL こども知育研究所・編著、金の星社）

ママが妊娠中《にんしんちゅう》で、もうすぐお兄《にい》ちゃんになる男《おとこ》の子《こ》。男《おとこ》の子《こ》の疑問《ぎもん》にお父《とう》さんがていねいに答《こた》えます。妊娠中《にんしんちゅう》の赤《あか》ちゃんの様子《ようす》がわかりやすい絵《え》と言葉《ことば》で書《か》かれています。

『ようこそ！ あかちゃん』

（レイチェル・グリーナー・文、クレア・オーウェン・絵、
浦野匡子・艮香織・訳と解説、大月書店）

イギリスで５〜７歳《さい》の子《こ》ども向《む》けに作《つく》られた絵本《えほん》。世界《せかい》にはたくさんの肌《はだ》の色《いろ》や髪型《かみがた》や見《み》た目《め》の人《ひと》がいて、障《しょう》がいのある人《ひと》もいます。家族《かぞく》がはじまるきっかけも家族《かぞく》の数《かず》だけあります。友《とも》だちや家《いえ》の人《ひと》とこの本《ほん》で気《き》づいたことをぜひ話《はな》してみてください。広《ひろ》い世界《せかい》を知《し》るきっかけがきっと見《み》つかります。

第《だい》3章《しょう》

自分《じぶん》らしく生《い》きる基本《きほん》

権利《けんり》の話《はなし》

「権利《けんり》」って、聞《き》いたことあるけど、
どういう意味《いみ》なのかな？　よく考《かんが》えたことがなかったよ。

子《こ》どもには、「教育《きょういく》を受《う》ける権利《けんり》」があるんだって。

だから、子《こ》どもはみんな、学校《がっこう》に行《い》くのね。

でも、他《ほか》にもいろんな権利《けんり》があるみたいだよ。

生《う》まれたときから持《も》っている「権利《けんり》」のこと

自分《じぶん》らしく生《い》きることを守《まも》ってくれるもの。それを人権《じんけん》といいます。

どんな人《ひと》もみんな、生《う》まれたときから、基本的人権《きほんてきじんけん》を持《も》っています。基本的《きほんてき》人権《じんけん》というのは、「人《ひと》としての尊厳《そんげん》や価値《かち》が守《まも》られ、幸《しあわ》せに生《い》きるために必要《ひつよう》な権利《けんり》」です。

「尊厳《そんげん》」は「大切《たいせつ》にされること」。

「価値《かち》」は「あなたが大切《たいせつ》にするものや信《しん》じているもののこと」です。

子《こ》どもには「子《こ》どもの権利《けんり》」があります。

「子《こ》どもの権利条約《けんりじょうやく》」という、世界《せかい》で決《き》めたルールがあり、そこには子《こ》どもたちを守《まも》るための54の約束《やくそく》が書《か》かれているのです。

「大人《おとな》の権利条約《けんりじょうやく》」はないけれど、特別《とくべつ》に子《こ》どもには、「子《こ》どもの権利条約《けんりじょうやく》」という約束《やくそく》があるのですね。

それはなぜだと思《おも》いますか？

大人《おとな》と子《こ》どもの違《ちが》いをちょっと想像《そうぞう》しながら、考《かんが》えてみましょうか？

子《こ》どもが自分《じぶん》らしく、幸《しあわ》せに、元気《げんき》に成長《せいちょう》していくには、何《なに》が必要《ひつよう》かな？

1989年《ねん》11月20日《がつはつか》、第《だい》44回国連総会《かいこくれんそうかい》で、「子《こ》どもの権利条約《けんりじょうやく》」は誕生《たんじょう》しました。今《いま》では、196の国《くに》と地域《ちいき》が、この条約《じょうやく》を守《まも》る約束《やくそく》をしています。日本《にほん》は1994年《ねん》にこの条約《じょうやく》に入《はい》りました。日本《にほん》のすべての子《こ》どもたちにとって、とても大切《たいせつ》な約束《やくそく》です。

元気《げんき》になるには、栄養《えいよう》のあるものを食《た》べたいよね！ あと、具合《ぐあい》が悪《わる》くなったらお医者《いしゃ》さんや薬《くすり》も必要《ひつよう》じゃない？

眠《ねむ》いときにあったかい布団《ふとん》にもぐりこむと、ほっとする！ だから、おうちや寝《ね》るところがあればいいのかな？

そのためには、いろんな人《ひと》の話《はなし》を聞《き》いたり、いろんなところに行《い》ったり、本《ほん》を読《よ》んだりすることも大切《たいせつ》だワン。

体《からだ》だけじゃなく、心《こころ》も成長《せいちょう》するワン。

ごはんを作《つく》ったり、暮《く》らしに必要《ひつよう》なものを用意《ようい》したり、子《こ》どもを大切《たいせつ》に守《まも》ってくれる大人《おとな》がそばにいないといけないね。

やりたいことを、話《はな》し合《あ》ったり、応援《おうえん》したり、子《こ》どもたちを大切《たいせつ》に思《おも》う大人《おとな》も必要《ひつよう》だと思《おも》うな。

学校《がっこう》がいいニャー。勉強《べんきょう》できるし、友《とも》だちもいるし、教科書《きょうかしょ》ももらえるし、図書室《としょしつ》には本《ほん》がたくさんあるニャー。

このように、これからどんどん成長《せいちょう》していく子《こ》どもたちには、
幸《しあわ》せに、健康《けんこう》に育《そだ》っていくために、必要《ひつよう》なものがたくさんあります。
その権利《けんり》が守《まも》られるように、「子《こ》どもの権利条約《けんりじょうやく》」が作《つく》られたんです。
もっと権利《けんり》について知《し》りたい人《ひと》は
『きみがきみらしく生《い》きるための 子《こ》どもの権利《けんり》』
（甲斐田万智子・監修、林ユミ・絵、KADOKAWA）がおすすめです。

体《からだ》の権利《けんり》って、どういうもの？

次の1〜6は、暮《く》らしの中《なか》で大切《たいせつ》にしてほしい「体《からだ》の権利《けんり》（体《からだ》にまつわる権《けん》利《り》）」です。大切《たいせつ》な約束《やくそく》と言《い》ってもいいですね。

「体《からだ》の権利《けんり》」とは、

- 自分《じぶん》の体《からだ》は自分《じぶん》のもの。
- 相手《あいて》の体《からだ》は相手《あいて》のもの。

という考《かんが》えが土台《どだい》になっています。

この6つの約束《やくそく》を守《まも》るようにすると、お互《たが》いに安心《あんしん》・安全《あんぜん》に暮《く》らせるようになりますよ。

1 体《からだ》のそれぞれの部分《ぶぶん》の名前《なまえ》やしくみについて学《まな》ぶことができる

2 自分《じぶん》の体《からだ》のどこをどのように触《ふ》れるかを、決《き》めることができる

たとえば、
たたかれていい人《ひと》って、
誰《だれ》もいないよね？
うんうん

3 誰《だれ》からも暴力《ぼうりょく》をうけない

4 体《からだ》が清潔《せいけつ》に保《たも》たれて、ケガや病気《びょうき》になったときには治療《ちりょう》を受《う》けることができる

5 心《こころ》と体《からだ》に不安《ふあん》や心配《しんぱい》があるときには、誰《だれ》かに相談《そうだん》できて、助《たす》けてもらえる

6 1～5の約束《やくそく》がうまくいかないときは、「やめてください」「やってください」と言《い》えて、逃《に》げることができる（「NO《ノー》」「GO《ゴー》」「TELL《テル》」ができる）

NO!
誰《だれ》からも暴力《ぼうりょく》を受《う》けない。

いたいっ
大人《おとな》も子《こ》どもも言葉《ことば》で伝《つた》えられるようにね。

治療《ちりょう》を受《う》けられるって、必要《ひつよう》なことだね。

体《からだ》の名前《なまえ》を知《し》ってたら、ケガしたときすぐに伝《つた》えられるよね。
ひざが痛い！

※『からだの権利教育入門　幼児・学童編』（浅井春夫、良香織・編、子どもの未来社）を参照の上、作成。

ジェンダー平等《びょうどう》って、何《なに》？

ジェンダーという言葉《ことば》、初《はじ》めて聞《き》く人《ひと》も多《おお》いかもしれませんね。

ジェンダーはもともと英語《えいご》で、〝gender〟と書《か》きます。生《う》まれながらの性別《せいべつ》ではなく、暮《く》らしの中《なか》でいつのまにか作《つく》られていく性別《せいべつ》を表《あらわ》す言葉《ことば》です。

「男《おとこ》らしさ」
「女《おんな》らしさ」
「男《おとこ》の子《こ》なんだから、強《つよ》くないと」
「女《おんな》の子《こ》なんだから、やさしくないと」

なんて言葉《ことば》を、どこかで聞《き》いたことはありませんか？　強《つよ》さややさしさは性別《せいべつ》に本当《ほんとう》に関係《かんけい》があるのでしょうか？

性格《せいかく》や強《つよ》さ、その人《ひと》が得意《とくい》とすることなどは、1人《ひとり》ひとり違《ちが》うはずです。

でも、「男《おとこ》の子《こ》なんだから、こうでしょ」「女《おんな》の子《こ》だから、こうすべきでしょ」みたいに、いつのまにか押《お》しつけられていることが、もしかしたらあるのではないでしょうか？　日本《にほん》は、こうした押《お》しつけが、世界《せかい》の他《ほか》の国《くに》と比《くら》べたときにまだまだ多《おお》いといわれています。たとえば、次《つぎ》のようなことをするのは、

男性《だんせい》でしょうか？　女性《じょせい》でしょうか？

□ごはんの支度《したく》をする
□そうじや洗濯《せんたく》をする
□出張《しゅっちょう》に行《い》く
□学校《がっこう》の保護者会《ほごしゃかい》に参加《さんか》する
□おじいちゃんやおばあちゃんのお世話《せわ》をする
□車《くるま》や自転車《じてんしゃ》の手入《てい》れをする
□お弁当《べんとう》を作《つく》る
□赤《あか》ちゃんの面倒《めんどう》をみる
□働《はたら》いてお金《かね》を稼《かせ》ぐ
□子《こ》どもを病院《びょういん》に連《つ》れて行《い》く

暮《く》らしに必要《ひつよう》なあたりまえのことをするのに、「男性《だんせい》だから」「女性《じょせい》だから」は関係《かんけい》ありません。性別《せいべつ》で役割《やくわり》を押《お》しつけられたり、「こうすべき」を決《き》めつけられたりしないで、自分《じぶん》らしくいることを大切《たいせつ》にできるといいですね。

自《じ》分《ぶん》らしく生《い》きる。何《なに》を好《す》きになってもいい

「好《す》き」にはいろんな形《かたち》があります。ジェンダー平等《びょうどう》（128ページ）でも話《はな》しましたが、自《じ》分《ぶん》が「うれしい」「楽《たの》しい」「幸《しあわ》せ」と感《かん》じるものに、性別《せいべつ》は関係《かんけい》ありません。

ピンクが好《す》きな男《おとこ》の子《こ》がいてもいいし、水色《みずいろ》が好《す》きな女《おんな》の子《こ》がいてもいいですよね。

イギリスの伝統的《でんとうてき》な正装《せいそう》（お祝《いわ》いの場《ば》での服装《ふくそう》）には、男性《だんせい》が着用《ちゃくよう》するスカートがあります。最近《さいきん》の制服《せいふく》には、女《おんな》の子《こ》でもズボンを選《えら》べる学校《がっこう》もあります。

何《なに》を着《き》るかは自《じ》分《ぶん》で決《き》めていいことです（校則《こうそく》やルール、法律《ほうりつ》も大切《たいせつ》にしながらね）。

ルールやマナーを大切《たいせつ》にして、自《じ》分《ぶん》らしくいられる服装《ふくそう》をしたり、おしゃれを楽《たの》しむことはとてもすてきなことです。友《とも》だちやまわりの人《ひと》に「その服《ふく》はおかしいよ」と言《い》われることがあっても、感《かん》じることは人《ひと》それぞれ。「好《す》き」を大切《たいせつ》にするために、「あなたの好《す》き」を言葉《ことば》で伝《つた》えられるといいですね。

ワーク
14

好《す》きな遊《あそ》びの
トップ10は、何《なに》？

まわりの人《ひと》にも聞《き》いてみましょう。

1位

2位

3位

4位

5位

6位

7位

8位

9位

10位

「好《す》きな人《ひと》」も、人《ひと》それぞれ

今《いま》、好《す》きな人《ひと》はいますか？　家族《かぞく》や友《とも》だちを想像《そうぞう》した人《ひと》もいれば、それ以外《いがい》の人《ひと》を思い浮《う》かべた人《ひと》もいるでしょうね。人《ひと》が人《ひと》を「好《す》き」になることは、とても自然《しぜん》なことです。


「特別《とくべつ》、大切《たいせつ》にしたいな」

「一緒《いっしょ》にいるとワクワクするな、楽《たの》しいな」

「なんだかドキドキするな」


人《ひと》を好《す》きになるのはそんな気持《きも》ちかもしれません。

男《おとこ》の子《こ》が女《おんな》の子《こ》を好《す》きになるかもしれないし、男《おとこ》の子《こ》が男《おとこ》の子《こ》を好《す》きになるかもしれません。

女《おんな》の子《こ》が男《おとこ》の子《こ》を好《す》きになるかもしれないし、女《おんな》の子《こ》が女《おんな》の子《こ》を好《す》きになるかもしれません。

性別《せいべつ》が違《ちが》うから好《す》きになったのかもしれないし、性別《せいべつ》は関係《かんけい》なく、ただ好《す》きになったのかもしれません。

「好《す》き」という気持《きも》ちそのものがとても大切《たいせつ》で、すてきなことです。だから、誰《だれ》を好《す》きになっても大丈夫《だいじょうぶ》。

違《ちが》う性別《せいべつ》の人《ひと》を好《す》きになることがふつうで、同《おな》じ性別《せいべつ》の人《ひと》を好《す》きになることが特別《とくべつ》ということもありません。

もしかしたら、同《おな》じ性別《せいべつ》の人《ひと》を好《す》きになる経験《けいけん》をしている人《ひと》が、まわりにはあまりいないだけ（わからないだけ）かもしれませんね。でも、わかってくれる友《とも》だちや大人《おとな》もいるから、安心《あんしん》してください。

そういう大人《おとな》に話《はなし》をしてみてもいいでしょう。あなたの「人《ひと》を好《す》きになる気持《きも》ち」は自由《じゆう》なのですから。

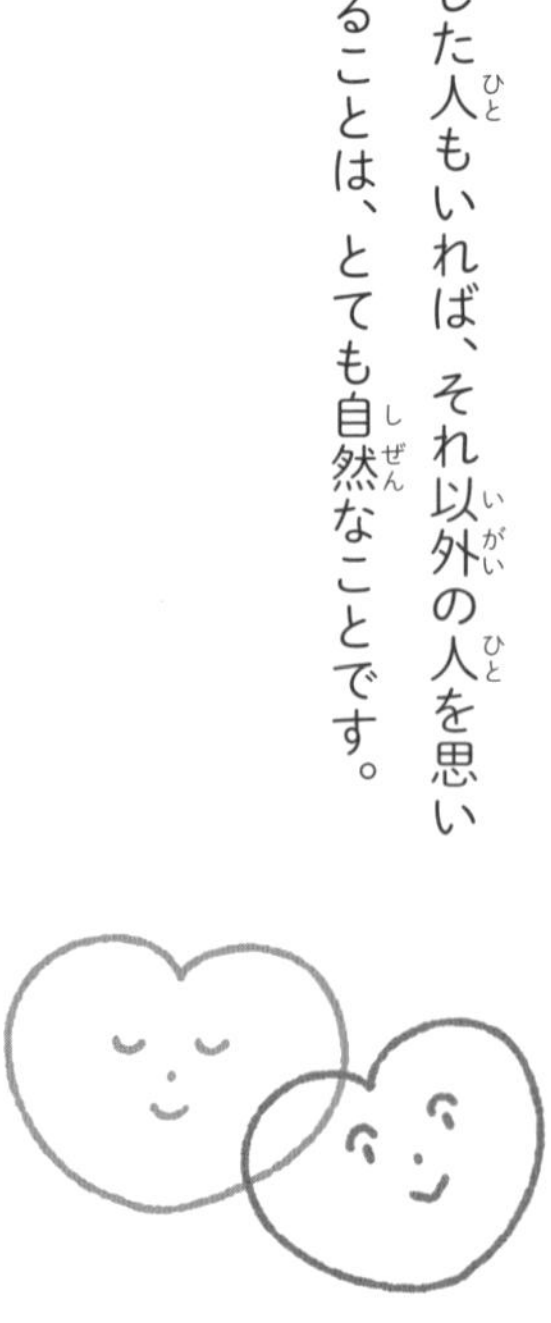

「自分《じぶん》らしさ」「好《す》き」を表《あらわ》す、いろんな言葉《ことば》

「LGBTQ《エルジービーティーキュー》 +《プラス》」という言葉《ことば》を聞《き》いたことはありますか？　この言葉《ことば》はいろんな「好《す》き」の気持《きも》ちや自分《じぶん》の性《せい》のあり方《かた》があることを教《おし》えてくれます。

- L（レズビアン／Lesbian）：女性同士《じょせいどうし》の好《す》き
- G（ゲイ／Gay）：男性同士《だんせいどうし》の好《す》き
- B（バイセクシャル／Bisexual）：男性《だんせい》も女性《じょせい》もどちらも好《す》きな人《ひと》
- T（トランスジェンダー／Transgender）：心《こころ》の性別《せいべつ》と体《からだ》の性別《せいべつ》が違《ちが》う人《ひと》
- Q（クエスチョニング・クィア／Questioning・Queer）：自分《じぶん》の性《せい》のあり方《かた》を迷《まよ》っている人《ひと》や決《き》められない人《ひと》、自分《じぶん》の性《せい》を「これだ！」と限定《げんてい》しないときに使《つか》う表現《ひょうげん》
- +（プラス）：LGBTQにかぎらず、性《せい》にとらわれずにいろんな好《す》きや自分《じぶん》を表現《ひょうげん》すること

こうした表現《ひょうげん》があることを知《し》って、お互《たが》いの自分《じぶん》らしさを応援《おうえん》できるようになったら、それが1人《ひとり》ひとりの権利《けんり》を守《まも》ることにつながります。

ワーク
15

誰《だれ》にとっても心地《ここち》よい暮《く》らしはどうしたら実現《じつげん》できる？

背《せ》が違《ちが》う3人《にん》が、花火《はなび》を見《み》ています (A)。でも、壁《かべ》がじゃまして、ワンちゃんはぜんぜん見《み》えません。しんちゃんもちょっと見《み》にくそう。お母《かあ》さんは、大丈夫《だいじょうぶ》。そこで、3人《にん》が同《おな》じように花火《はなび》を見《み》られるようにするにはどうしたらいいか、考《かんが》えました。

３人全員《にんぜんいん》に、平等《びょうどう》に同《おな》じ高《たか》さの踏《ふ》み台《だい》が配《くば》られました。
でも、ワンちゃんはまだ、花火《はなび》が見《み》えません。しんちゃんは見《み》えるようになりました。

花火《はなび》が見《み》られるくらいの目線《めせん》になるように、公平《こうへい》に高《たか》さが違《ちが》う踏《ふ》み台《だい》が配《くば》られました。これで、３人《にん》は花火《はなび》が見《み》られるようになりました。

公正《こうせい》に、フェンスの前《まえ》へ移動《いどう》しました。ガラリと環境《かんきょう》を変《か》えることで、３人全員《にんぜんいん》が花火《はなび》を見《み》られるようになりました。踏《ふ》み台《だい》はなくても大丈夫《だいじょうぶ》！

※ Interaction Institute for Social Change（https://interactioninstitute.org/）のIllustrating Equality VS Equityを参照の上、作成。

(A)～(D)の４つのやり方《かた》を見《み》て、どう感《かん》じましたか？
それぞれのいい点《てん》、よくない点《てん》、感《かん》じたことなどを自由《じゆう》に考《かんが》えてみましょう。

	いい点《てん》	よくない点《てん》
(A)		
(B)		
(C)		
(D)		

(B)はよさそうな気《き》がしたけど同《おな》じ配慮《はいりょ》をしたのに花火《はなび》を見《み》られる人《ひと》と見《み》られない人《ひと》がいたよね。
(D)のように思《おも》いきりよくやり方《かた》を変《か》えれば、あっというまに解決《かいけつ》することもあるんだね。
(C)は、みんな同《おな》じように花火《はなび》が見《み》えるから、いいワン。1人《ひとり》ひとりのことをよく考《かんが》えた配慮《はいりょ》ができてるワン。

自分《じぶん》を守《まも》るための計画《けいかく》を立《た》てておこう

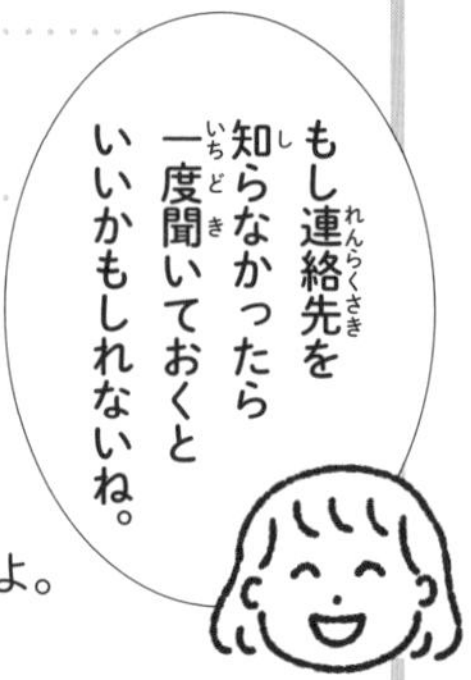
もし連絡先《れんらくさき》を
知《し》らなかったら
一度《いちど》聞《き》いておくと
いいかもしれないね。

こわいことや不安《ふあん》なことがあると、
どうしたらいいかわからなくなってしまうことがあります。
そんなときは、安心《あんしん》して話せる大人《おとな》に相談《そうだん》してみましょう。
いざというときにすぐに頼《たよ》れるように、ふだんから、
あなただけの「相談《そうだん》できる大人《おとな》リスト」を作《つく》っておくといいですよ。

家族《かぞく》

一緒《いっしょ》に暮《く》らしている人《ひと》で、安心《あんしん》して話《はな》せる大人《おとな》は誰《だれ》ですか？
例《れい》）お母《かあ》さん／家《いえ》や会社《かいしゃ》にいる／会社《かいしゃ》の電話番号《でんわばんごう》　03-××××-5678

	名前《なまえ》	連絡先《れんらくさき》	連絡《れんらく》する方法《ほうほう》（電話番号《でんわばんごう》など）	いつもいる場所《ばしょ》など
1				
2				

親《しん》せき

一緒《いっしょ》に暮《く》らしてはいないけれど、安心《あんしん》して話《はな》せる親戚《しんせき》の大人《おとな》は誰《だれ》ですか？
例《れい》）いとこの○○ちゃん／電話《でんわ》で話《はな》す、ときどき遊《あそ》びに来《く》る

	名前《なまえ》	連絡先《れんらくさき》	連絡《れんらく》する方法《ほうほう》（電話番号《でんわばんごう》など）	いつもいる場所《ばしょ》など
1				
2				

心《こころ》のこと、
モヤモヤした気持《きも》ちや
不安《ふあん》に思《おも》っていることなら
学校《がっこう》にいる
スクールカウンセラーの
先生《せんせい》に話《はな》してみても
いいですね。

連絡先《れんらくさき》を
知《し》らなくても
「ここに行《い》けば会《あ》える！」
というのがわかっていると
安心《あんしん》だよ。

児童館《じどうかん》や学童《がくどう》、
子《こ》ども食堂《しょくどう》など、
子《こ》どもの居場所《いばしょ》に
いつもいる大人《おとな》も
相談《そうだん》にのってくれる
かもしれないワン。

学校《がっこう》

学校《がっこう》にいる大人《おとな》で、安心《あんしん》して話《はな》せるのは誰《だれ》ですか？
例《れい》）担任《たんにん》の先生《せんせい》／学校《がっこう》に行《い》くと話《はな》せる

	名前《なまえ》	連絡先《れんらくさき》	連絡《れんらく》する方法《ほうほう》（電話番号《でんわばんごう》など）	いつもいる場所《ばしょ》など
1				
2				

家族《かぞく》・親《しん》せき・学校以外《がっこういがい》の大人《おとな》

例《れい》）ピアノの先生《せんせい》／毎週水曜日《まいしゅうすいようび》のレッスンのとき

	名前《なまえ》	連絡先《れんらくさき》	連絡《れんらく》する方法《ほうほう》（電話番号《でんわばんごう》など）	いつもいる場所《ばしょ》など
1				
2				

困《こま》ったときに、子《こ》どもが相談《そうだん》できるところ

チャイルドライン
（NPO法人《ほうじん》チャイルドライン支援《しえん》センター）

●**電話番号：0120-99-7777**
●**通話料：無料《むりょう》**
（携帯・公衆電話からもかけられる）
●**電話がつながる時間**
毎日午後《まいにちごご》４時《じ》～午後《ごご》９時《じ》

18歳《さい》までの子《こ》ども専用《せんよう》です。いじめ、友《とも》だち、先生《せんせい》のことなど、困《こま》ったことがあればなんでも相談《そうだん》できます。ちょっとしたことだけど、聞《き》いてほしいな、おしゃべりしたいなというときにかけてみてもいいですよ。

こどもの人権《じんけん》110番《ばん》（法務局《ほうむきょく》）

●**電話番号　0120-007-110**
●**通話料：無料《むりょう》**
●**電話がつながる時間**
月曜日《げつようび》～金曜日《きんようび》
午前《ごぜん》８時《じ》30分《ぷん》～午後《ごご》５時《じ》15分《ふん》

先生《せんせい》や家《いえ》の人《ひと》には話《はな》しにくいこと、どうしたらいいかわからないことがあったり、まわりで困《こま》っている人《ひと》を助《たす》けたいときは、迷《まよ》わずに電話《でんわ》してください。

体《からだ》のことで
相談《そうだん》したいときは
保健室《ほけんしつ》の先生《せんせい》や
近所《きんじょ》のかかりつけの
お医者《いしゃ》さんに
相談《そうだん》する方法《ほうほう》も
あるよ。

※2024年6月現在の情報です。

お守り本棚

『こどもジェンダー』

（シオリーヌ（大貫詩織）・著、村田エリー・絵、
松岡宗嗣・監修、ワニブックス）

ジェンダーってなんだろう？　ひとことですぐにこたえられる人《ひと》のほうが少《すく》ないはず！　そんなときはこの本《ほん》をぜひ読《よ》んでみてください。ジェンダーをイチから学《まな》べるし、自分《じぶん》らしく生《い》きるヒントがたくさん見《み》つかります。

『女の子だから、男の子だからをなくす本』

（ユン・ウンジュ・著、イ・ヘジョン・絵、
ソ・ハンソル・監修、すんみ・訳、エトセトラブックス）

世《よ》の中《なか》の「当《あ》たり前《まえ》」を「おかしい！」と感《かん》じた韓《かん》国《こく》の女性《じょせい》たちがつくった絵本《えほん》。すべての子《こ》どもたちに未来《みらい》を変《か》える力《ちから》があると気《き》づかせてくれます。10歳《さい》までにこの本《ほん》に出会《であ》えた子《こ》どもはラッキーです。家族《かぞく》みんなで読《よ》みたい１冊《さつ》。

『にんぎょのルーシー』

（SOOSH（スーシー）・文と絵、高橋久美子・訳、トゥーヴァージンズ）

人魚《にんぎょ》のルーシーと友《とも》だちになった人間《にんげん》の女《おんな》の子《こ》・エマ。見《み》た目《め》も住《す》む世界《せかい》も違《ちが》うけれど２人《ふたり》は仲良《なかよ》しになり楽《たの》しい時間《じかん》を過《す》ごします。あるとき、大嵐《おおあらし》がきて事件《じけん》が起《お》きます。お互《たが》いを好《す》きという気持《きも》ち、大切《たいせつ》に想《おも》う気持《きも》ちはあらゆる違《ちが》い、苦《くる》しいときを乗《の》り越《こ》える力《ちから》になることを２人《ふたり》の友情《ゆうじょう》が教《おし》えてくれます。あなたのすぐ隣《となり》にも、ルーシーがいるかもしれないね。

『タンタンタンゴはパパふたり』

（ジャスティン・リチャードソン＆ピーター・パーネル・著、ヘンリー・コール・絵、尾辻かな子・前田和男・訳、ポット出版）

いつも一緒《いっしょ》に、歌《うた》い、鳴《な》き、泳《およ》ぐ、オスのペンギンのロイとシロ。飼育係《しいくがかり》のグラムジーさんは、２匹《ひき》が親《おや》になれるいい考《かんが》えをひらめきます。愛《あい》し合《あ》うオスのペンギンたちが、ヒナを育《そだ》て家族《かぞく》になっていく奇跡《きせき》の実話《じつわ》。

『いろいろ いろんな かぞくの ほん』

（メアリ・ホフマン・文、ロス・アスクィス・絵、杉本詠美・訳、少年写真新聞社）

なかよしのときもあれば、けんかするときもある。お金《かね》があるときもないときも、うれしいときもかなしいときもある。そんなふうに変《か》わっていくのが家《か》族《ぞく》なのだと気《き》づかせてくれます。今日《きょう》のあなたの家《か》族《ぞく》は、どんな感《かん》じかな？　そして、明日《あした》はどんな家《か》族《ぞく》になっているかな？

『月刊たくさんのふしぎ かっこいいピンクをさがしに（2024年3月号第468号）』

（なかむらるみ・文と絵、福音館書店）

ピンクは本当《ほんとう》に女《おんな》の子《こ》の色《いろ》？　平安時代《へいあんじだい》の貴族《きぞく》の男性《だんせい》は淡《あわ》い桃色《ももいろ》を身《み》に着《つ》けていたし、肌《はだ》の色《いろ》に映《は》えるピンクはウガンダの小学生《しょうがくせい》の制服《せいふく》の色《いろ》。曜日《ようび》ごとに色《いろ》をつける習慣《しゅうかん》があるタイではピンクは火曜日《かようび》の色《いろ》。世界《せかい》のさまざまなピンクの話《はなし》が、イメージにとらわれない自由《じゆう》で楽《たの》しい世界《せかい》を教《おし》えてくれます。

本書を読むときに大切にしたいこと

親子で安心して本書のワークに取り組めるように、大人の態度のちょっとしたコツを紹介します。

ありのままを認めよう

子どもの態度や表現を「そうなんだね」「そう考えたんだね」と肯定的に受けとめると子どもは安心します。「いい」「悪い」で評価するのはグッとこらえて。「えー!?」「なんで!?」「おかしい！」などの否定的な意見や態度も子どもの自然な姿ととらえ、「それはダメ」「違うでしょ？」「もういいから」と制止しないであげてください。

もしかすると「ワークをやりたくない」「本を読みたくない」と言うこともあるかもしれませんが、それも、「自己決定」であり、自分で決める力を育むことになります。子どももなりに理由があるのだからやりたくない気持ちも、読みたくない気持ちも尊重します。

一方的に教えるのではなく、一緒に考えよう

大人の意識や感覚で、ついつい「上手に書けたね」「すごいね」などの評価の言葉をかけがちですが、見たままを伝えたり質問したりすることをおすすめします。たとえば、「ワークをしてみてどうだったかな？」「どう思う？」など。

ワークを通して、大人も共に学びましょう。子どもは自分の体や心と一生懸命に向きあいます。自分について深く知ることは、その子自身が自分を大切にして生きることにつながります。それは大人も同

じです。

落ちつく場所でゆっくり話そう

時間に余裕をもって、安心できる場所で行います。そのほうが、子どもの意見を聞きやすく、対話がしやすいからです。禁止や命令的な表現は控えます。

大人は権力を持っていることに気づこう

子どもにとって、大人は権力を持っている存在です。大人の「ふつう」「あたりまえ」を子どもたちに押しつけてはいないでしょうか。

本書を読む大人は、ぜひ、ちょっと立ち止まって自分に問いかけてみてください。

もし、子育てで不安なこと、苦しいことがあったら、どんなことでもいいので、私たちのような専門家や最寄りの保健センター（156ページ）にご相談ください。

子どもの安心のために大人ができること

困ったその先に用意する「安心」が大事

10歳から思春期へ向けての時期、子どもは体も心も大きく成長していきます。

周囲の大人は、「将来、困らないように」と心配しすぎて、ついきつい口調になったり、口数が増える自分にうんざりすることもあります。人生で、困難は避けては通れませんが、困難があるからこそ成長できる一面もありますから、一概に悪いことではないと私たちは考えています。たとえ困ることがあっても、「大丈夫、サポートが受けられる」「1人じゃない」という安心感があるかどうか、そこが大切です。

この本では、包括的性教育における科学的な体の名称やしくみ、体の権利(人権教育)、そして人間関係に必要なコミュニケーションなどを、さまざまなワークをしながら、大人と子どもが楽しく学びあえます。とくに、子どもたちに「安心・安全な暮らし」を届けられるように、子どもの権利条約(124～125ページ)にも配慮しています。子どもにとっての安心・安全だけでなく、おうちの方の安心・安全な子育てもサポートしたいと思っています。

包括的性教育とは何か

包括的性教育とは、ユネスコ発行の『国際セクシュアリティ教育ガイダンス』が提唱している性教育のことです。

生殖や体の発達、性感染症だけではなく、人間関係、ジェンダー平等、暴力と安全、人の幸福、人権など、より幅広い内容を指しています。国際的には、『国際セクシュアリティ教育ガイダンス』を使用しながら、5〜18歳までに園や学校などの教育機関で、包括的性教育を繰り返し学びます。そうすることで、寝た子を起こすどころか、将来の性行動が慎重になるなどの結果が科学的根拠をもとにして示されています。

　自分の体をよりよく理解するため、また、性暴力の被害者にも加害者にも傍観者にもならないようにするためにも、性に関する知識はとても大切です。

　でも、知識を活かせるかどうかは、言葉や態度で気持ちをどう伝えられるかにより、左右されることもあります。

　たとえば、「いやだ」と感じたことに対して、「NO（いや）」が言えるでしょうか？

　逆に「いや」と言われたり、「違う意見」を示されたりしたときに、それを受け入れることができるでしょうか？

　私たち大人も振り返ってみて、どうですか？「いやだ」と思っていても相手の顔色をうかがって正直な気持ちを言えなかったり、自分の気持ちに蓋をしてしまったりした経験がありませんか？

　周囲との人間関係やコミュニケーションの土台がなければ、たとえ性の知識があっても、うまく活用できない現実があります。それは、私たち大人が経験的にも学んできたことではないでしょうか。ですから、子どもが知識をうまく活用できるように、大人も学びながらサポートしていきましょう。

『国際セクシュアリティ教育ガイダンス』

ユネスコのページからガイダンスを読むこともできます。
https://unesdoc.unesco.org/ark:/48223/pf0000374167

子どものための法律「こども基本法」を覚えておこう

ワーク15（134ページ）でもわかるように、これまでの「あたりまえ」「常識」を、「これでいいのかな？」「違うやり方はないかな？」と考えてみることで、暮らしやすくなったり、生きやすくなる人はたくさんいます。

とくに、体に障害があったり、子どものように社会的に立場が弱くなりがちな人たちは、守られるべき存在ともいえます。こうした考えをもっと社会に広めようという流れができはじめています。

そんな中、令和5（2023）年4月、「こども基本法」という法律ができました。

子どもや若者は、1人ひとりがとても大切な存在です。みんなが自分らしく幸せに成長でき、暮らせるように、社会全体で支えていくことがとても重要だと考えています。

そんな「子どもが真ん中にいる社会」を実現するために作られたのが、こども基本法なのです。

子ども基本法の考え方を、国や社会全体で共有し、これから子どものためのあらゆる取り組み（こども施策）を進めていくことになっています。

子どもの成長をサポートするために、「こども施策」は6つのことを約束しています。

こども施策、6つの基本理念

1

すべてのこどもが大切にされ、
基本的な人権が守られ、差別されないこと

2

すべてのこどもが大事に育てられ、
生活が守られ、愛され、保護される権利が守られ、
平等に教育を受けられること

3

すべてのこどもが、年齢や成長の程度に合わせて、
自分に直接関係することに意見を言えたり、
社会のさまざまな活動に参加できること

4

すべてのこどもの意見が年齢や成長の程度に合わせて、
大事にされ、こどもの今とこれからにとって
最もよいことが優先して考えられること

5

子育てをしている家庭のサポートが十分に行われること、
家庭で育つことが難しいこどもに
家庭と同じような環境が用意されること

6

家庭や子育てに夢を持ち、
喜びを感じられる社会をつくること

※『すべてのこども・おとなに知ってほしい　こども基本法ってなに？　やさしい版』
（こどもまんなかこども家庭庁）から引用。

性教育は、人が幸せに生きるためのもの

10歳までの子どもたちに身につけてほしいことは、「心も体も、自分のもの」という気持ちです。

思春期は、心も体も本人たちが予想している以上に成長と変化を遂げていく時期です。「自分はどうして生きているのだろうか」といった葛藤が生まれてきたり、自分ではない誰かと自分を必要以上に比べたり、また自分を否定してしまいがちになるのも、この時期です。

そんなときこそ、「私は私」「あなたはあなた」と境界線を持てたら、ありのままの自分を受け入れやすくなり、自分の感覚や感性、また考えや態度を自由に示せるようにもなるでしょう。

心のことだけでなく、体に関する知識やマナーも、親子で楽しく学んでいけるように、本書を通して伝えたいことを、改めてまとめました。

①安心・安全で対等な人間関係のために

赤ちゃんや子どもたちは、まわりの人から、「体」を大切にされる経験をする中で、「自分の体は大切」という意識を育んでいきます。それが性教育の第一歩です。

お互いに触れあって、体は感じます。「気持ちいいな」「ほっとするな」「あったかいな」といった感じを「快」と呼びますが、「快」を知るからこそ、「不快」がわかります。「不快」なことを口だけでわからせようというのは子どもにとってとてもむずかしいことです。なぜなら、経験したことはイメージしやすいのですが、経験していないことは理解しにくいからです。

②いろんな話ができる関係性を大切にしよう

子どもと話す上で大切なことは、性のことにかぎらず、いろんなことを話しあえる関係性です。

ここでちょっと興味深い調査結果(※)をご紹介します。

「意図せぬ妊娠をしたことがない」

「つきあいはじめて長期間経ってから性交渉を持った」

「避妊をはじめからしている」

こういう人たちの属性を調べたところ、親がたくさん話しかけていたという結果があります。

また、18歳以上で初めてセックスをした人は、

「親とよく話をした」

「話を肯定的に聞いてくれた」

という回答が多かったという結果が出たそうです。

「性のことをきちんと伝えないと!」と意気ごむよりも、子どもの話を肯定的に受けとめたり、じっくり対話するといった基本的なことからはじめてみませんか。

※「男女の生活と意識に関する調査報告書」(2003年日本家族計画協会)

③子どもの権利

こども家庭庁が2023年4月より発足し、1人ひとりの子どもたちがより大切にされ、生きていけるように、国全体もようやく動き出しました。

一方で、子どもにかかわる大人のほうが、まだまだ勉強不足だという現実があります。

「自分の子ども時代はもっと厳しく育てられた」ということを理由に、子どもをコントロール(支配)するような声がけや態度を無意識にしていることもあります。

124ページでもお伝えしましたが、子どもが生まれる前から持っている健やかに生きる権利を守っていけるように、大人も過去の学びを手放して("ア

ンラーニング"といいます)、学びを再構築していきましょう。私たちも子どもの権利を守るために学び続けています。そういう大人の姿勢を子どもたちは感じ取ります。

④困ったときは相談を

大人は子どもに、「何かあったら大人に相談してね」と伝えます。でも、わりに大人のほうが、誰かに相談することを躊躇《ちゅうちょ》したり、社会福祉や医療のサポートを受けることになんとなくネガティブな印象を持っていることがあります。これは、私たちが生きてきた時代背景に、「1人でがんばること」が美徳のような意識や感覚があるからです。

でも困ったら、大人だって相談していいんです。その姿を、子どもたちに見せていきましょう。

社会にはサポートしてくれる人がたくさんいると知っていれば、子どもたちが将来困ったときに、自分を支える力になります。安心して相談できる専門家がたくさんいることを、ぜひ覚えておいてください(136〜137ページ)。

⑤子どもの成長に戸惑う大人

子どもの成長を不安に思いすぎたり、自分やパートナーよりも、子どもを大切に思いすぎたり、巣立っていく寂しさを違和感として感じる大人の相談を受けることがあります。

たとえば、保護者や支援者が思春期につらい思いをしていたり、生きづらさを感じていたりするケース。

あるいは、親との関係が不和だったことを思い出してしまい、「いつまでも子どものままでいてほしい」という気持ちが拭《ぬぐ》えず、子どもとのかかわりがむずかしくなるケースなど。

「子どもの成長はうれしいけれど、受け入れられない。そんな気持ちになっちゃいけないのに」と自分の気持ちに蓋をしようとして、イライラやうつうつとした気持ちになる方もいらっしゃいます。

そんなときは肩の力を抜くためにも、私たちのような専門家やカウンセラーに相談してみてください。じっくりと話を聞いてもらうことで、心のザワザワや戸惑いも、少しずつおだやかになっていきます。

⑥成長とともに変わる境界線

「いいよ」と「いや」を分ける境界線は、成長とともに変わります（150ページ）。

胎児のときは、お母さんのおなかの中にいるから、境界線は、親と一緒です（A）。

赤ちゃんのときも、大人に抱っこされたり、オムツを替えてもらったり、ほとんどの時間を世話をされてすごすので一緒です（B）。

幼児期になると、1人で本を読んだりテレビを見たりして、大人との境界線が分かれていきます。でもまだ重なる部分も多いです（C）。

小学生になると、1人で学校に行き、友だちと遊び、習い事にも出かけていきます。大人の境界線と重なる部分がかなり少なくなります（D）。

高学年（思春期）になると、大人と子どもはほとんど別々になります（E）。

境界線の変化も成長の証ですから、受け入れていけるといいですね。それができないと親子関係も険悪になったりぎくしゃくしてしまうことがあります。

⑦心地よい人間関係や暮らしの土台を作る

今の大人や子育て中の方々が受けた性教育には、「〇〇はしてはいけない」「こうするべき」というような禁止や押しつけの言葉がたくさんありました。政治的そして文化的背景がそうさせていたのかもしれませんが、時代は変わりつつあります。国際基準の性教育は1人ひとりが大切にされる「人権」とい

境界線の変化

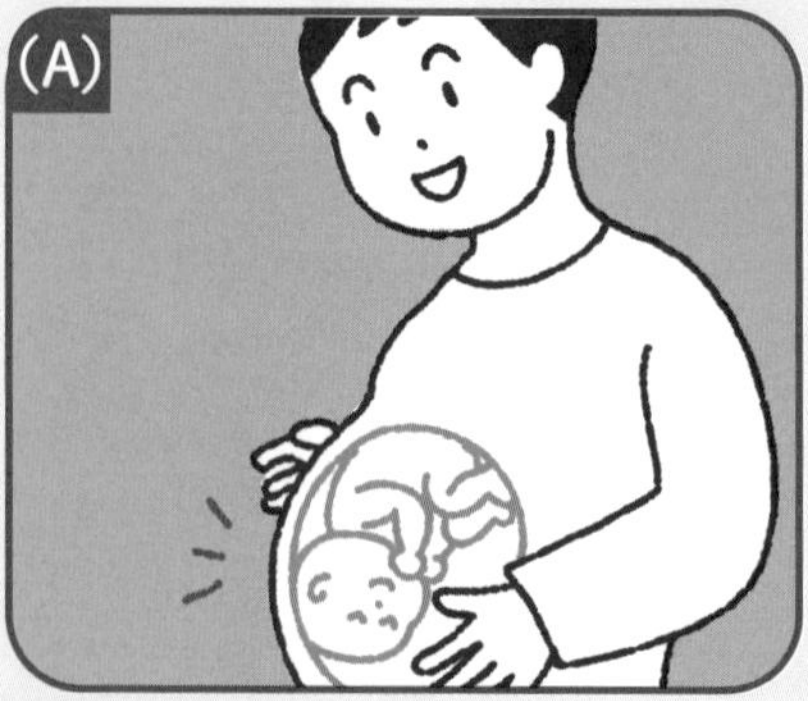

胎児のときはおなかの中にいたから、境界線は親と一緒

赤ちゃんのときは、大人にいつも世話されていたので、境界線は一緒

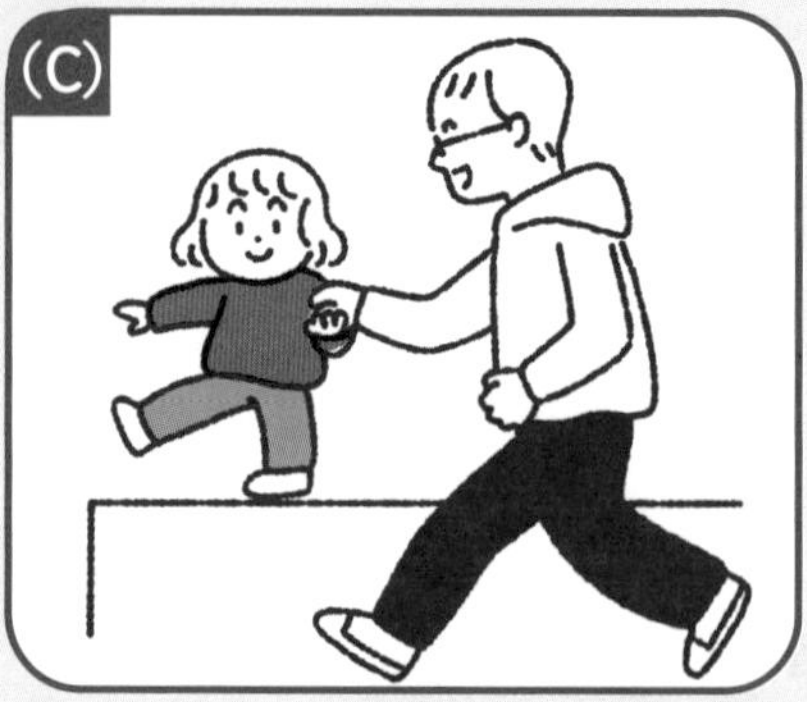

幼児期になると、境界線が分かれることもあるけれど、重なる部分がまだ多い

小学生になると、境界線の重なる部分がかなり少なくなる

高学年（思春期）になると、ほとんど別々

※野坂幸子先生の「もふもふネット専門研修　性加害②　治療教育の実践①（WEB 版）～変化への動機づけ、グッドライフモデル、非機能的認知の修正～」（2020 年 6 月 27 日配信）を参照の上、作成。

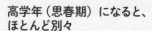

うものがしっかりと活かされた内容になっており、次のことを丁寧に取り扱える大人になれるような教育カリキュラムが組まれています。

●自分の心と体を大切にすること

自分の心の様子や体について知ること、学ぶことで、より自分らしく生きていくきっかけになります。自分を大切にしていこうという思いも芽生えやすくなります。

●心地いいふれあい、いやだと感じるふれあいの区別ができる

これからの性教育では健康や権利だけではなく、喜びに当たる〝プレジャー〟も大切にすることが言われています。安心な人とのスキンシップやふれあい、自分の体に触れて心地よいと感じること、こういう感覚が自分は好きだな、気持ちいいなと認識することを肯定的にとらえること。

逆に「この触れ方はいやだな」「この感覚はいや」ということも認識すること。子ども自身がそれらの感覚を認識し、言葉で相手に伝えられるようになることが大切だと考えられています。

●自己決定、自分で決める力を育むこと

不確実性の高い現代において、「自分で決める力」「自分を認める力」ほど大切なものはありません。また自己決定(自分で決めること)は人生の幸福度にも大きく影響するともいわれています。

性教育を含めて、教育は子どもの幸せのためにあるものです。そのためにも自分で決める力を高めるような教育カリキュラムや保護者のかかわりが必要になっています。

⑧「自分の体はすてきなもの」という気持ちを育む

無自覚、無意識に「はずかしいから、やめなさい」「みっともないから、やめなさい」「汚いからさわらないで」という言葉を使っていませんか。

お風呂上がりにいつまでも裸でいたり、性器をさわったり見たりしている子どもの行動を見ると、親は思わず「はずかしいから、やめなさい」と言いがちです。

「はずかしい」を言われ続けると、どうでしょうか？もしかすると違和感を持ったり、必要以上に自分たちの体を「はずかしいもの」と感じてしまうようになるかもしれません。「はずかしい」を「大切」に言いかえてみませんか？

子どもの体の権利や心を守るために、まずは、大人が態度を変える必要があります。

性器は手足や目と同じ、体の一部です。自分の体のどこを見たりさわったりするのも自由です(62、126ページ)。それをあまりにも特別視しすぎて、親自身が「はずかしい」「汚い」と間違えた認識を持っていることが多いのです。親世代の教育や社会のあり方がそうさせてきたのでしょう。

でも、時代はどんどん変わってきています。気づいた人から価値観をアップデートしていきましょう。体のことも性のことも、科学的根拠に基づいて伝えたら、子どもも受けとめやすくなるはずです。そして、体のしくみについても大切なことだと気づいてくれるかもしれません。

⑨ 会話を大事にする

たとえば、入浴中に経血が流れたとき、「子どもになんて伝えたらいいのか戸惑《とまど》う」という相談がよく寄せられます。大人が淡々と、科学的根拠に基づいて生理のしくみを話せば、子どもは「そうなんだ」と偏見なく受け取るでしょう。大人が何かしらの思いこみをもって伝えるのと、科学的根拠に基づいて伝えるのでは、印象がだいぶ違います。

体のしくみについては、「正しく、間違えなく伝えよう」としなくても大丈夫です。完璧を求めずに「こんなふうになっているんだよ」くらいの話でも十分です。今は絵本や動画など、充実のコンテンツがたくさんありますから、それらを活用して一緒に学ぶのもいいでしょう。

テレビや動画などで、性的なシーンが流れて、慌ててテレビを消したりチャンネルを変えることもあるでしょう。そのあとなんとも気まずい雰囲気になるか、「大人のふれあいだね。あれはドラマだね」と伝えるのかでは、子どもの印象も変わってきます。

ただ、大人も1人ひとり、さまざまな背景（家庭環境、生育歴）がありますから、なんでもフラットに伝えるというのは、むずかしい場合もあるかもしれません。マンガで読みやすい書籍もありますので、自分が使いやすいものを探してご活用ください。

⑩SOSを出せる関係性を育む

いろんな人とかかわり、助けたり、助けられたりして、みんな生きています。誰かに頼ること、サポートを受けることは大切です。SOSは弱いから出すのではなく、勇気ある行動であることも知っておきましょう。大人になっても困り事があるときに、SOSを出せる人はサポートを受けやすくなります。

この本を通して、親子で心や体の健康について、気楽におしゃべりできるようになると、うれしいです。その積み重ねが、子どもが困ったときに、

「ねぇ、聞いてほしいんだけど」

「相談したいんだけど」

と、いつでも話ができるような関係を育みます。

子どもの成長を見守りながら大人も一緒に、楽しく学び続けていきましょう。また、この本のワークを、学校現場などでもご活用いただけると大変うれしく思います。

性教育の現状について（2024年6月現在）

多くの学校では、文部科学省の学習指導要領に沿って、小学4年生の保健で体の発達発育、思春期の変化（二次性徴）の学習、5年生の理科で人の誕生（精子、卵子、受精、妊娠、胎児の成長）、6年生の保健で病気の予防について、中学1年生の保健体育科で身体機能の発達、生殖にかかわる機能の成熟（二次性徴、妊娠成立）、中学3年生の保健体育科で性感染症（コンドーム）等について学びます。

その他、特別活動（特活）の学級活動で、LGBTQやデートDV、ジェンダー平等などの学習の取り組みを入れる学校もあります。

また、より学習を深めるために、医師や助産師など、専門性の高い外部講師を招く場合もありますが、それも学校ごとの采配によって変わってきます。「性交」と「避妊」について、小・中学校では、取り扱っていないからです。

文部科学省の学習指導要領には、これら性に関する内容で、次に示すような「はどめ規定」が記載されています。

・小学5年生の理科「人の受精に至る過程は取り扱わないものとする」

・中学1年生の保健体育科「妊娠の経過は取り扱わないものとする」

精子、卵子、受精、受精卵、妊娠の成立、胎児の成長を学ぶことができるものの、肝心な性交（セックス）や出産については、教科書には記載されていません。生殖に関連づけた二次性徴の説明ができないため、小学校の教科書には、体に起こる変化や事象（経血や精液が出るなど）の記載にとどまっています。

しかし、政府は性に関する法律の改正や、教育を推進させる動きも見せています。

令和2年「性犯罪・性暴力対策の強化の方針」を踏まえ、性交同意年齢が「13歳以上」から「16歳以上」に引き上げられるなど、性犯罪の刑法の改正もありました。

また、文部科学省は、令和5年から、子どもが性被害の被害者、加害者や傍観者にならないために「生命の安全教育」を全国の学校を対象に実施してゆくよう推奨しはじめました。子どもの発達段階にあわせて、プライベートゾーン、SNSの使い方、デートDV、相談先など、学校で学ぶことができるよう、動画教材などの開発も行われています。

平成30年に公布された「成育基本法」に基づき、令和3年2月に「成育医療等基本方針」が閣議決定され、初めて〝プレコンセプションケア〟にも言及されました。「男女ともに性や妊娠に関する正しい知識を身につけ、健康管理を促すプレコンセプションケアの推進」が明記されたのです。地方自治体単位では、幼児期から社会人にいたるまで、切れ目のないプレコンセプションケアの推進に力を入れる動きも見られるようになりました。

これらすべて、包括的性教育が土台となって推進されてゆくよう、願っています。

大人の方へ

困ったときの相談窓口

「相談したいけれど、どこに何を話したらいいかわからない」という人のために、主な相談機関を紹介します。相談事の内容、年齢や性別、おかれた状況により、解決方法はさまざまです。

どこに
相談したらいいか、
わからない…

●保健センター

自分の住む街の「保健室」みたいなところです。地域の人たちの健康のために必要なサービスを提供してくれます。乳幼児健診や子どもの発達相談だけでなく、大人の病気、健康、心の悩みなどにも対応してくれます。不安があったらまずは地域の保健センターに相談してみましょう。悩みに応じた相談先も紹介してくれます。

●よりそいホットライン

0120-279《つなぐ》-338《ささえる》　岩手・宮城・福島県からは 0120-279《つなぐ》-226《つつむ》

https://www.since2011.net/yorisoi/

仕事やお金、生きづらさ、健康や性のこと、災害被災のことなど、暮らし全般のさまざまな悩みに専門の相談員が応じてくれます。外国語による相談もできます。

● DV 相談＋《プラス》

0120-279《つなぐ》-889《はやく》

https://soudanplus.jp/

電話とメールは 24 時間受付。専門の相談員があなたの悩みを受けとめて、一緒に考えてくれます。

● DV 相談ナビ（配偶者暴力相談支援センター）

#8008《はれれば》

全国共通の電話番号です。発信地等の情報から、最寄りの相談窓口につないでくれます。

パートナーから
殴られる、
こわい…
これって
DV？
あの人から
逃げたい

●性犯罪・性暴力被害者のためのワンストップ支援センター

#8891《はやくワンストップ》

https://www.gender.go.jp/policy/no_violence/seibouryoku/consult.html

性犯罪、性暴力に関する悩み相談窓口。産婦人科などの医療機関、カウンセリング、法律相談などの専門窓口とも連携しています。最寄りのワンストップ支援センターにつながり、通話料無料で相談できます。

性犯罪に
遭ったのかも
しれない
友だちが
性被害を受けた

暴力を受けたので助けてほしい
交際相手につきまとわれていてこわい

●警察相談専用電話「＃9110」番

https://www.gov-online.go.jp/useful/article/201309/3.html

全国共通の電話番号です。発信地等の情報から、最寄りの警察本部につながります。犯罪かどうかわからないけれど不安なとき、一刻を争うような緊急性がないときは、「110 番」の前にこちらにかけましょう。

●ぱっぷす

電話相談：050-3177-5432
https://www.paps.jp/

「性的搾取に私たちの世代で終止符を打つ」というミッションの実現に向けて、特に若い世代の性的搾取やデジタル性暴力被害の支援をしています。盗撮被害、送信してしまった性的画像の削除、ネット上での性的画像や動画の拡散被害など、幅広い性的搾取やデジタル性被害の相談に応じています。

リベンジポルノで悩んでいる
断れなくて下着姿の写真を送ってしまった

知り合いが痴漢行為をしていたみたい
小さな子どもに強い関心を持っている大人が身内にいて、ちょっと不安

●性障害専門医療センター SOMEC

https://somec.org/

性被害者を出さないためには、加害者をなくすしかありません。性加害の当事者やその家族がどうしたらいいかの悩みに対応してくれます。オンラインで受講できる性的問題行動に対する再犯防止プログラムもあります。

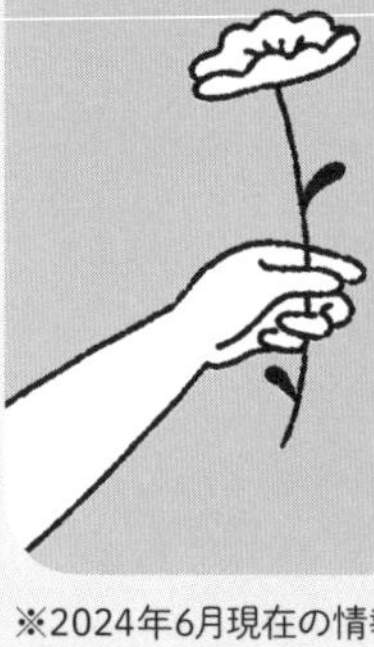

● NPO 法人しあわせなみだ

https://shiawasenamida.org/

「性暴力ゼロで誰にとってもしあわせな社会を創る」ことを目指し、性暴力等に遭った方を応援する活動をしています。性別にとらわれない事業を展開しており、活動メンバーの半数が男性です。また性暴力被害に遭いやすい障害児や障害者の性暴力撲滅活動や、被害者同様の傷つきを負うパートナーのケアにも力を注いでいます。「性暴力の被害に遭ってしまった」「もしかしたら、障害のある子が被害に遭っているかもしれない」などの不安・悩みがあったら、ぜひこうしたサイトの情報なども参考にしてください。

※2024年6月現在の情報です。

参考文献やウェブサイト

●『国際セクシュアリティ教育ガイダンス【改訂版】』
（ユネスコ・編、浅井春夫 他・訳、明石書店）

●『国際セクシュアリティ教育ガイダンス　活用ガイド』
（浅井春夫・渡邉安衣子 他・編著、明石書店）

●『からだの権利教育入門　幼児・学童編』
（浅井春夫・艮香織・編、子どもの未来社）

●『「『生きる』教育」全学習指導案集：「安全・安心・愛情」を保障する
9 年間の教育プログラム (生野南小学校　教育実践シリーズ 4 巻)』
（西澤哲 他・監修、日本標準）

●『男女の生活と意識に関する調査報告書』（2003 年日本家族計画協会）

●平成 28 年度科学研究費助成事業（基礎研究（c）一般）
『子どもの性暴力の被害－加害に対するグッドライフアプローチを用いた心理・
教育的介入』（研究代表者　野坂祐子）により作成されたリーフレット『子ど
もをささえるためにできること～性暴力被害にあった子どもの回復のために～
〔改訂版〕』

●『じぶん、まる！』（田中一歩・文と絵、解放出版社）

●『あっ！　そうなんだ！　わたしのからだ』
（中野久恵・星野恵・文、勝部真規子・絵、エイデル研究所）

●『メグさんの男の子のからだとこころＱ＆Ａ』
（メグ・ヒックリング・著、三輪妙子・訳、築地書館）

●『親と子どものためのマインドフルネス』（エリーン・スネル・著、出村佳子・訳、サンガ）

●『子どもへの性暴力は防げる！　加害者治療から見えた真実』
（福井裕輝・著、時事通信社）

●『愛着障害は何歳からでも必ず修復できる』（米澤好史・著、合同出版）

●『IPPF セクシュアル／リプロダクティブ・ヘルス用語集―日本語版』
（芦野由利子・北村邦夫・著、家族計画国際協力財団）

●『おうち性教育はじめます　思春期と家族編』
（フクチマミ・村瀬幸浩・著、KADOKAWA）

●『人間と性の絵本　3　思春期ってどんなとき？』（水野哲夫・文、柿崎えま・絵、大月書店）

●『ようこそ！ 思春期　おとなに近づくからだの成長のはなし』
（レイチェル・グリーナー・文、クレア・オーウェン・絵、浦野匡子・艮香織・訳と解説、
大月書店）

●『からだノート　中学生の相談箱』（徳永桂子・著、大月書店）

●ココロとカラダのことを学べる　ココカラ学園　https://kids.yahoo.co.jp/sei/

●命育　家庭でできる性教育サイト　https://meiiku.com/

●日本ユニセフ協会　https://www.unicef.or.jp/

●こどもまんなか　こども家庭庁　https://www.cfa.go.jp/

●子どもの性の健康研究会　http://csh-lab.com/

● CAP センター・JAPAN　https://cap-j.net/

●ロイター・ニュース・エージェンシー
（記事）焦点：アフリカで深刻化する「生理の貧困」、学校諦める生徒も
https://jp.reuters.com/article/idUSKBN2PP05X/

●ハフポスト日本版
（記事）「月経カップ」が東アフリカで生きる女性たちの人生を変える
https://www.huffingtonpost.jp/sabrina-rubli/menstrual-cups-east-africa_b_6454004.html

著者紹介

やまがたてるえ

助産師、看護師、保育士、メンタル心理カウンセラー。NPO法人子育て学協会理事。チャイルド・ファミリーコンサルタント。松戸市教育委員会教育委員を8年経験。北海道出身。臨床経験5年後、自身の妊娠、出産、子育てを経て地域子育て支援に参加。『13歳までに伝えたい女の子の心と体のこと（かんき出版）を出版後、性教育や子育て講座などを担当。現在までに6冊の著書がある。Wellbeingを軸に親子の育ち合いに寄り添う支援者として活動中。

HP　https://www.hahanoki.com/

渡邉安衣子

助産師、看護師、思春期保健相談士、日本思春期学会性教育認定講師。愛知県出身。名古屋大学医療技術短期大学部（現・名古屋大学）看護学科・助産学科卒業。現在は助産院や自宅での出産のサポートや、女性の個別相談、各種講座開催などの他、性教育活動にも尽力している。わかりやすく実践的な性教育講座は、親子のみならず、教育関係者などにも信頼が厚い。出張開業「京都あいこ助産院」院長、株式会社PLATICA代表取締役、(公社)京都府助産師会理事。

HP　https://aikosan.com/

10歳《さい》までに知《し》っておきたい
子《こ》どもを一生守《いっしょうまも》る「からだ・こころ・権利《けんり》」の話《はなし》

2024年7月20日　第1刷

著　　者　やまがたてるえ
　　　　　渡邉安衣子《わたなべあいこ》
発 行 者　小澤源太郎

責任編集　株式会社 プライム涌光
電話　編集部　03(3203)2850

発 行 所　株式会社 青春出版社
東京都新宿区若松町12番1号 〒162-0056
振替番号　00190-7-98602
電話　営業部　03(3207)1916

印刷　三松堂　　製本　ナショナル製本

万一、落丁、乱丁がありました節は、お取りかえします。

ISBN978-4-413-11408-0 C0037